SOBRE O ÓCIO, CLEMÊNCIA & DA PROVIDÊNCIA

SÊNECA

SOBRE O ÓCIO, CLEMÊNCIA & DA PROVIDÊNCIA

CONHEÇA NOSSO LIVROS
ACESSANDO AQUI!

Copyright desta tradução © IBC - Instituto Brasileiro De Cultura, 2023

Título original: On Providence; Of Clemency; On Leisure
Reservados todos os direitos desta tradução e produção, pela lei 9.610 de 19.2.1998.

2ª Impressão 2023

Presidente: Paulo Roberto Houch
MTB 0083982/SP

Coordenação Editorial: Priscilla Sipans
Coordenação de Arte: Rubens Martim
Tradução: Ana Luiza Cortelasse
Revisão: Mirella Moreno
Apoio de Revisão: Leonan Mariano e Lilian Rozati

Vendas: Tel.: (11) 3393-7727 (comercial2@editoraonline.com.br)

Foi feito o depósito legal.
Impresso no Brasil

Dados Internacionais de Catalogação na Publicação (CIP)
de acordo com ISBD

S475s   Sêneca

Sobre o Ócio, Clemência & Da Providência / Sêneca. -
Barueri : Camelot Editora, 2023.
96 p. ; 15,1cm x 23cm.

ISBN: 978-65-85168-48-9

1. Filosofia. I. Título.

2023-1787   CDD 100
                                                   CDU 1

Elaborado por Vagner Rodolfo da Silva - CRB-8/9410

IBC — Instituto Brasileiro de Cultura LTDA
CNPJ 04.207.648/0001-94
Avenida Juruá, 762 — Alphaville Industrial
CEP. 06455-010 — Barueri/SP
www.editoraonline.com.br

SUMÁRIO

Da Providência 7

Sobre a Clemência 37

   Primeiro Livro 37

   Segundo Livro 95

Sobre o Ócio 111

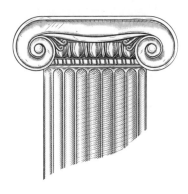

DA PROVIDÊNCIA

O PRIMEIRO LIVRO DOS DIÁLOGOS

DE L. ANEU SÊNECA, ENDEREÇADO A LUCÍLIO

I

Você me perguntou, Lucílio, por que, se o mundo é governado pela providência, tantos males acontecem aos homens bons? A resposta a isso seria mais convenientemente dada ao longo deste trabalho, depois de termos provado que a providência governa o universo e que Deus está entre nós: mas, já que você deseja que eu trate de um ponto separado do todo e responda a uma objeção antes que a ação principal seja decidida, farei o que não é difícil e defenderei a causa dos deuses.

No momento atual, é supérfluo dizer que uma obra tão grandiosa mantém sua posição sem um guardião, que o conjunto e o movimento das estrelas não dependem de impulsos acidentais, ou que objetos cujo deslocamento é regulado pelo acaso frequentemente caem em confusão e logo oscilam, enquanto esse movimento rápido e seguro continua, governado pela lei eterna, trazendo consigo variadas coisas tanto no mar quanto na terra, e tantas luzes mais brilhantes reluzindo em ordem nos céus; pois essa regularidade não pertence à matéria movendo-se ao acaso, e partículas reunidas por acidente não poderiam se organizar com tanta habilidade a ponto de fazer o peso mais pesado, o da terra, permanecer imóvel e observar o voo dos céus enquanto se apressam ao seu redor, fazendo os mares derramarem-se nos vales e assim temperar o clima do solo, sem nenhum aumento crítico dos rios que neles deságuam, e sem causar colheitas enormes a partir de sementes minúsculas.

Mesmo os fenômenos que parecem confusos e irregulares, quero dizer, chuvas e nuvens, o fluxo de raios dos céus, o fogo que jorra dos picos das montanhas, os abalos da terra e tudo mais que aqui é produzido pelo elemento inquieto que habita o universo, não acontecem sem razão, embora repentinamente: eles também têm suas causas, assim como têm aquelas coisas que despertam nossa admiração pela estranheza de sua localização, como fontes termais no meio das ondas do mar e novas ilhas que surgem no vasto oceano.

Além disso, qualquer pessoa que tenha observado como a praia é descoberta pelo recuo do mar, enquanto ele entra para dentro de si mesmo, e como em pouco tempo é novamente coberta, acreditará que é em obediência a alguma lei oculta de movimento que as ondas se contraem e são empurradas para dentro em um momento, irrompendo e recuperando seu leito numa corrente forte em outro, uma vez que sempre crescem em proporção regular e surgem em seu dia e hora designados, maiores ou menores, de acordo com a lua, a cujo prazer o oceano flui e as atrai.

Deixemos essas questões para discussão em outro momento mais adequado, porém, já que você não duvida da existência da providência, mas se queixa dela, eu prontamente reconciliarei sua relação com os deuses, os quais são excelentes para com homens excelentes: pois, de fato, a natureza das coisas nunca permite que o bem seja prejudicado pelo bem.

Entre homens bons e deuses, há uma amizade estabelecida pela virtude — amizade, eu digo? Não exatamente; antes disso, trata-se de um relacionamento e semelhança, uma vez

DA PROVIDÊNCIA

que o homem bom difere de um deus apenas no tempo, sendo seu discípulo, rival e verdadeiro descendente, a quem seu glorioso progenitor treina mais severamente do que outros homens, exigindo de forma rigorosa uma conduta virtuosa, assim como fazem pais rigorosos.

Quando, portanto, você vê homens que são bons e aceitáveis aos olhos dos deuses se esforçando, suando, lutando penosamente para ascender, enquanto homens maus se entregam à libertinagem e mergulham em prazeres, reflita que a modéstia nos agrada em nossos filhos, e a audácia em nossos meninos escravos nascidos em casa; que os primeiros são contidos por uma regra um tanto rígida, enquanto a ousadia dos últimos é encorajada. Esteja certo de que Deus age da mesma maneira: Ele não mima o homem bom; Ele o testa, o endurece e o prepara para Si mesmo.

II

Por que tantas coisas dão errado para os homens bons? Ora, nenhum mal pode atingir um homem bom: contrários não podem se unir. Assim como tantos rios, tantas chuvas provindas das nuvens, tantas nascentes medicinais não alteram o sabor do mar; na verdade, nem mesmo o suavizam; da mesma forma, a pressão da adversidade não afeta a mente de um homem corajoso; pois a mente de um homem corajoso mantém seu equilíbrio e lança sua própria perspectiva sobre tudo o que acontece, porque é mais poderosa do que quaisquer circunstâncias externas.

Não digo que ele não as sinta, mas as supera e, quando necessário, coloca-se calma e tranquilamente acima de seus ataques, considerando todas as desventuras como provas de sua própria firmeza. No entanto, quem é aquele que, desde que seja um homem e tenha ambição honrosa, não anseia por um posto adequado e não está ansioso para cumprir seu dever, apesar do perigo? Existe algum trabalhador para quem a ociosidade não seja um castigo?

Vemos atletas, que estudam apenas sua força física, envolvidos em disputas com os mais fortes dos homens e insistindo que seus preparadores para a arena deveriam usar toda sua força no momento da prática: eles suportam golpes e maus-tratos e, se não conseguem encontrar uma única pessoa que seja sua igual, lutam com vários de uma vez; sua força e coragem enfraquecem sem um adversário: eles só podem provar quão grande e poderosa é esse força ao de-

DA PROVIDÊNCIA

monstrar o quanto podem suportar. Você deve saber que os homens bons precisam agir de forma consistente, para não temerem problemas e dificuldades, nem lamentarem seu destino difícil; para aceitar de bom grado o que lhes acontece e transformá-lo em uma bênção. Não importa o que você suporta, mas como você o suporta.

Você não vê como pais e mães tratam seus filhos de maneira diferente? Como os pais os instigam a começar suas tarefas cedo, não os permitem ficar ociosos nem mesmo nos feriados, os exercitam até transpirarem e, às vezes, até chorarem, enquanto as mães querem aconchegá-los em seus colos, mantê-los longe do sol e nunca desejam que fiquem aborrecidos, chorem ou trabalhem?

Deus tem uma mente paterna em relação aos homens bons e os ama com um espírito viril. "Deixem-nos", diz Ele, "serem exercitados por trabalhos, sofrimentos e perdas, para que possam obter verdadeira força". Aqueles que são fartos de facilidades se quebram não apenas com o trabalho, mas até mesmo com simples movimentos e peso do próprio corpo. A prosperidade constante não pode suportar um único golpe; mas aquele que lutou incessantemente com suas desventuras adquiriu uma pele mais espessa por seus sofrimentos, não cede a nenhum desastre e mesmo que caia, continua lutando de joelhos. Você se pergunta por que Deus, que tanto ama os bons, que deseja que alcancem a mais alta bondade e excelência, designaria a sorte como sua adversária? Não ficaria surpreso se os deuses, às vezes, tivessem o desejo de ver grandes homens lutando contra alguma desgraça.

Às vezes ficamos encantados quando um jovem de coragem firme empala, com sua lança, a fera selvagem que o ataca; ou quando ele enfrenta o ataque de um leão sem recuar; e quanto mais eminente for o homem que assim age, mais atraente é a visão: no entanto[1], esses não são assuntos que podem chamar a atenção dos deuses, mas são meros passatempos e diversões da frivolidade humana.

Contemple uma visão digna de ser vista por um deus interessado em sua própria obra: veja um par[2] digno de um deus, um homem corajoso confrontado com uma má sorte, especialmente se ele mesmo a tiver desafiado. Digo que não sei qual espetáculo mais nobre Júpiter poderia encontrar na Terra, se ele dirigisse seus olhos para cá, do que o de Catão[3], depois que seu partido foi derrotado mais de uma vez, ainda permanecendo de pé em meio às ruínas da República.

Ele dizia: "Embora tudo esteja nas mãos de um único homem, embora a terra esteja guardada por suas legiões, o mar por suas frotas, e embora os soldados de César estejam sitiando as portas da cidade, Catão tem uma saída: com uma mão, ele abrirá um amplo caminho para a liberdade; sua espada, que ele tem carregado sem mancha de desgraça e inocente de crime mesmo em uma guerra civil, ainda realizará atos bons e nobres; ela dará a Catão a liberdade que não pôde dar a seu país. Comece, minha

---

1 Mais nobre em oposição ao gladiador - quanto mais elevada a posição do combatente. *O Graco de Juvenal*, Sátira ii. e viii., ilustra o trecho. (N. do A.)

2 Par, um termo técnico na linguagem esportiva (digno de tal espectador). (N. do A.)

3 Marco Pórcio Catão (c. 234 a.C. - 149 a.C.) também conhecido como Catão, o Censor, estadista romano responsável por combater severamente as influências gregas contrárias aos antigos padrões romanos de moralidade. (N. do E.)

DA PROVIDÊNCIA

alma, a obra que há tanto tempo contemplas, e arranca-te do mundo dos homens. Já Petreio e Juba[4] se encontraram e caíram, cada um morto pela mão do outro — um pacto bravo e nobre com o destino, mas não adequado à minha grandeza: é tão vergonhoso para Catão suplicar sua morte a alguém quanto seria suplicar por sua vida."

Está claro para mim que os deuses devem ter observado com grande alegria enquanto aquele homem, seu próprio vingador mais implacável, preocupou-se com a segurança dos outros e organizou a fuga daqueles que partiram, enquanto mesmo em sua última noite prosseguiu com seus estudos, enquanto cravava a espada em seu peito sagrado, arrancava suas entranhas e colocava a mão sobre aquela vida sagrada que não era digna de ser profanada pelo aço.

Isso, inclino-me a pensar, foi o motivo pelo qual seu ferimento não foi bem direcionado e mortal: os deuses não estavam satisfeitos em ver Catão morrer uma vez; sua coragem foi mantida em ação e chamada de volta ao palco, para que pudesse se exibir em um papel mais difícil: pois é necessário um espírito superior para retornar uma segunda vez à morte. Como poderiam deixar de observar seu pupilo com interesse ao deixar a vida por uma partida tão nobre e memorável? Os homens são elevados ao nível dos deuses por uma morte que é admirada até mesmo por aqueles que os temem.

---

4   Marco Petreio foi um político e general romano. Após a derrota contra os pompeianos na Batalha de Tapso, Petreio fugiu com Juba, o rei da Numídia. Ambos ficaram vagando por muito tempo para evitar cair nas mãos de César. No entanto, tomados pelo desespero, decidiram se matar. (N. do E.)

III

No entanto, à medida que meu argumento avança, irei provar que aquilo que parece ser mal não é realmente; por enquanto, digo isso: aquilo que você chama de tratamento severo, infortúnios e coisas contra as quais devemos rezar são, na verdade, coisas vantajosas: em primeiro lugar, para aqueles a quem acontecem e, em segundo lugar, para toda a humanidade, pela qual os deuses se preocupam mais do que pelos indivíduos. E em seguida, que esses males lhes acontecem com o próprio consentimento deles, e que os homens merecem suportar infortúnios se estão relutantes em recebê--los. A isso, acrescentarei que os infortúnios ocorrem assim por destino e que eles acontecem aos homens bons pela mesma lei que os torna bons. Depois disso, eu te convencerei a nunca sentir pena por qualquer homem bom, pois, embora ele possa ser chamado de infeliz, ele não pode realmente ser.

De todas essas proposições, aquela que mencionei primeiro parece ser a mais difícil de provar. Quero dizer, as coisas que tememos e nos assustam são vantajosas para aqueles a quem elas acontecem. "É", você diz, "vantajoso para eles serem exilados, ficarem necessitados, enterrarem seus filhos e esposa, serem publicamente desonrados, ou perderem a saúde?" Sim! Se você se surpreende com isso sendo vantajoso para qualquer pessoa, também ficará surpreso com alguém se beneficiando de cortes e cauterizações, ou de fome e sede também.

No entanto, se considerar que alguns homens, para serem curados, têm seus ossos raspados e partes deles extraídas,

DA PROVIDÊNCIA

que suas veias são puxadas e que alguns têm membros amputados, pois não poderiam permanecer em seu lugar sem prejudicar todo o corpo, você me permitirá provar também que alguns infortúnios são para o bem daqueles a quem acontecem, tanto, por Hércules, quanto algumas coisas que são louvadas e desejadas tornam-se prejudiciais para aqueles que as desfrutam, como indigestões, embriaguez e outras questões que nos matam através do prazer.

Entre muitas grandes afirmações de nosso Demétrio[5] está esta, que acabei de ouvir e que ainda ressoa e ecoa em meus ouvidos: "Ninguém", disse ele, "me parece mais infeliz do que o homem a quem nunca aconteceu nenhum infortúnio". Ele nunca teve a oportunidade de se testar; embora tudo tenha acontecido a ele de acordo com seu desejo: sim, até mesmo antes de formar um desejo, ainda assim os deuses o julgaram desfavoravelmente; ele nunca foi considerado digno de vencer a má sorte, que evita os maiores covardes, como se dissesse: "Por que devo escolher aquele homem como meu adversário? Ele imediatamente se renderá: não precisarei de toda a minha força contra ele; será posto em fuga apenas com uma ameaça e nem ousará me enfrentar; deixe-me procurar por alguém com quem eu possa lutar corpo a corpo: envergonho-me de entrar em batalha com alguém que está preparado para ser derrotado."

Um gladiador considera uma desgraça ser confrontado com um inferior, e sabe que vencer sem perigo é vencer sem glória. Assim também a Sorte; ela procura os mais corajosos para enfrentar, despreza alguns, e busca os mais inflexíveis e íntegros

---

5 Demétrio de Corinto, filósofo cínico, era amigo íntimo de Sêneca. Viveu durante os reinados de Calígula, Nero e Vespasiano. (N. do E.)

dos homens para exercer sua força contra eles. Ela testou o fogo de Múcio[6], a pobreza de Fabrício[7], o exílio de Rutílio[8], a tortura de Régulo[9], o veneno de Sócrates[10], a morte de Catão: somente a má sorte descobre esses exemplos gloriosos.

Múcio estava infeliz porque agarrou o fogo inimigo com a mão direita e, por vontade própria, pagou o preço de seu erro? Porque ele venceu o Rei com a mão queimada, embora não tenha vencido quando empunhava uma espada? Seria ele mais feliz se tivesse aquecido a mão no seio de sua amante?

Fabrício estava infeliz porque, quando o Estado podia poupá-lo, cultivava sua própria terra? Porque ele lutou contra a riqueza tão intensamente quanto contra Pirro? Porque ele jantava ao lado de sua lareira com as raízes e ervas que ele mesmo arrancava, enquanto limpava seu campo de temperos daninhos, apesar de ser um homem idoso e que já tinha desfrutado de um triunfo? E então? Ele seria mais feliz se tivesse se empanturrado de peixes de terras distantes e aves capturadas em terras estrangeiras? Se tivesse

---

6   Caio Múcio Cévola foi um herói lendário que teria salvado Roma da conquista do rei da cidade etrusca, Lars Porsena. A lenda conta que Múcio se propôs a assassinar Porsena, mas acabou por matar o assistente de sua vítima por engano. Diante do tribunal, ele mostrou bravura ao enfiar a mão direita no fogo do altar, mantendo-a ali até que fosse consumida por ele. Impressionado com o feito, Porsena ordenou sua libertação e estabeleceu a paz com os romanos. (N. do E.)

7   Caio Fabrício Luscino (c. 300 a. C. - 201 a.C.), estadista romano conhecido por sua incorruptibilidade e austeridade. (N. do E.)

8   Públio Rutílio Rufo (c. 158 a.C. - 78 a.C), político e orador romano. Seus esforços para promulgar reformas contra a vontade do Senado resultaram na restrição dos poderes dos tribunos. (N. do E.)

9   Marco Atílio Régulo (c. 300 a.C. - 201 a.C.), general cuja carreira foi considerada pelo povo de Roma como um verdadeiro exemplo de resistência e bravura. (N. do E.)

10   Acusado de corromper a juventude, introduzir novas divindades e não reconhecer os deuses do Estado de Atenas, Sócrates, um dos mais ilustres pensadores da Grécia Antiga, foi condenado à morte por ingestão de cicuta. (N. do E.)

DA PROVIDÊNCIA

despertado a letargia de seu estômago enjoado com mariscos do mar alto e baixo? Se tivesse empilhado uma grande quantidade de frutas ao redor de uma caça de primeira categoria, pela qual muitos caçadores foram mortos ao tentando capturar?

Rutílio estava infeliz porque aqueles que o condenaram teriam que justificar o motivo por todas as Eras? Porque ele suportou a perda de sua pátria com mais compostura do que seu exílio? Porque foi o único homem que se recusou a conceder algo a Sula[11], o ditador, e quando foi chamado de volta do exílio, foi apenas ainda mais longe e permaneceu exilado? "Que aqueles", disse ele, "que caem em tua sorte afortunada em Roma vejam o Fórum encharcado de sangue[12], e as cabeças dos senadores acima do Poço de Servílio — o lugar onde as vítimas das proscrições de Sula foram despojadas —, os bandos de assassinos vagando livremente pela cidade e muitos milhares de cidadãos romanos assassinados em um só lugar, depois, aliás, de uma promessa de clemência. Que aqueles que não podem se exilar contemplem tais coisas."

Bem! Lúcio Sula é feliz porque, quando ele desce ao Fórum, um espaço é feito para ele com golpes de espada, já que permite que as cabeças dos cônsules sejam mostradas a ele e define o preço do sangue através do questor e do tesouro do Estado? E este, este foi o homem que aprovou a Lei Cornelia!

Agora vamos falar sobre Régulo: que injúria a sorte lhe fez quando o tornou um exemplo de boa-fé, um exemplo de resistência? Eles perfuram sua pele com pregos: onde quer

---

11 Lúcio Cornélio Sula (c. 138 a.C. - 78 a.C.), também conhecido pelos gregos como Epafrodito, figurou entre os mais habilidosos militares e políticos de sua época. (N. do E.)

12 Viderint - Que eles vejam por si mesmos: não é problema meu. (N. do A.)

que ele apoie seu corpo cansado, repousa sobre uma ferida; seus olhos estão eternamente abertos; quanto maiores são seus sofrimentos, maior é sua glória. Você quer saber o quanto ele está longe de se arrepender por ter valorizado sua honra a tal preço? Cure suas feridas e o envie novamente para a casa do Senado; ele dará o mesmo conselho.

Então, você acha que Mecenas[13] é um homem mais feliz, pois quando atormentado pelo amor e chorando pelas repulsas diárias de sua esposa mal-humorada, busca o sono ouvindo melodias distantes? Embora ele se embriague com vinho, se distraia com o som de águas correntes e desvie seus pensamentos perturbados com mil prazeres, ainda assim não dormirá mais em suas almofadas de plumas do que Régulo na tortura. No entanto, consola o último, pois este sofre em nome da honra e desvia seu tormento para a causa dos mesmos; enquanto o outro, cansado de prazeres e doente de excessos, é mais prejudicado pelo motivo de seus sofrimentos do que pelos próprios.

O vício não tomou posse tão completamente da raça humana, de maneira que se os homens pudessem escolher seu destino, poderia existir qualquer dúvida, menos de que mais escolheriam ser Régulo a Mecenas; e se houvesse alguém que ousasse dizer preferir ter nascido Mecenas a Régulo, esse homem, quer ele diga ou não, preferiria também ter sido Terência[14] (do que Cícero).

Você considera que Sócrates foi maltratado, porque ele tomou aquela poção que o Estado lhe deu como se fosse um

---

13 Caio Cílnio Mecenas (c. 70 a.C. - 8 a.C.), conselheiro do imperador romano Augusto. Sêneca criticou duramente o estilo de vida luxuoso que levava. (N. do E.)
14 Terência (c. 98 a.C. - 6 a.C.), esposa de Marco Túlio Cícero e forte apoiadora de suas ideias. (N. do E.)

DA PROVIDÊNCIA

encanto para torná-lo imortal, e discutiu sobre a morte até a própria morte? Ele foi maltratado, porque seu sangue congelou e o fluxo de suas veias gradualmente parou à medida que o frio da morte se espalhava por elas?

Quanto mais este homem deve ser invejado do que aquele que é servido com pedras preciosas, e cuja bebida, uma criatura habituada a todos os vícios, um eunuco, ou até ele mesmo, resfria com neve em uma taça de ouro? Homens como esses vomitam tudo o que bebem, em miséria e nojo pelo sabor de sua própria bile, enquanto Sócrates bebe alegre e voluntariamente seu veneno.

Quanto a Catão, já se disse o suficiente, e todos concordam que a maior felicidade foi alcançada por alguém escolhido pela própria Natureza como digno de enfrentar todos os seus terrores: "A inimizade", diz ela, "dos poderosos é dolorosa, portanto, que ele seja imediatamente confrontado por Pompeu, César e Crasso[15]: é doloroso, ao concorrer a cargos públicos, ser derrotado por inferiores; portanto, que ele seja derrotado por Vatínio[16]. É doloroso participar de guerras civis, portanto, que ele lute em todas as partes do mundo pela boa causa com igual obstinação e má sorte: é doloroso colocar as mãos em si mesmo, portanto, que ele o faça. O que vou ganhar com isso? Que todos os homens possam saber que essas coisas, as quais considerei dignas de serem enfrentadas por Catão, não são males reais".

---

15 A aliança política informal entre Pompeu, Júlio César e Crasso resultou no Primeiro Triunvirato, responsável por enfraquecer a atuação do Senado e reforçar o poder militar. (N. do E.)

16 Públio Vatínio, cônsul da República Romana, eleito em 47 a.C. Cícero, em um de seus discursos, refere-se a ele como um dos maiores vilões da história de Roma. (N. do E.)

IV

A prosperidade chega à multidão e também aos homens de mente pequena, assim como aos grandes; mas é um privilégio exclusivo dos grandes homens subjugar[17] os desastres e os terrores da vida mortal; enquanto ser sempre próspero e passar pela vida sem um pingo de angústia mental é permanecer ignorante sobre metade da natureza.

Você é um grande homem, mas como posso saber disso se a sorte não lhe dá oportunidade de mostrar sua virtude? Você entrou na arena dos Jogos Olímpicos, mas ninguém mais o fez: você tem a coroa, mas não a vitória. Não o felicito como faria com um homem corajoso, mas como alguém que obteve um consulado ou pretorado. Você conquistou dignidade.

Posso dizer o mesmo de um homem bom, se circunstâncias problemáticas nunca lhe deram uma única oportunidade de demonstrar a força de sua mente. Penso que seja infeliz porque nunca foi infeliz: você passou por sua vida sem encontrar um antagonista; ninguém conhecerá seus poderes, nem mesmo você. Pois um homem não pode se conhecer sem um teste: ninguém jamais descobriu do que era capaz

---

17   Isto é, triunfar sobre. "Duas lanças eram erguidas verticalmente... e uma terceira era fixada transversalmente no topo; e por essa passagem o exército vencido marchava para fora, como um sinal de que haviam sido derrotados na guerra e deviam suas vidas à misericórdia do inimigo. Não era um insulto peculiar inventado para essa ocasião, mas um costume comum, pelo que parece, em casos semelhantes; como a cerimônia moderna de empilhar armas quando uma guarnição ou exército se rendem como prisioneiros de guerra." — *História de Roma*, cap. XXXI. (N. do A.)

DA PROVIDÊNCIA

sem se colocar à prova; por esse motivo, muitos se expuseram voluntariamente a infortúnios que já não estavam em seu caminho, e procuraram uma oportunidade de fazer sua virtude brilhar diante do mundo, que de outra forma teria se perdido na escuridão.

Grandes homens, eu digo, frequentemente se alegram com as adversidades da sorte, assim como bravos soldados se alegram com as guerras. Lembro-me de ter ouvido Triunfo, que foi um gladiador[18] no reinado de César Tibério, reclamando da escassez de prêmios; "Que tempo glorioso", disse ele, "já passou". A coragem anseia pelo perigo e pensa apenas para onde quer ir, não no que sofrerá, pois até mesmo o que sofrerá faz parte de sua glória. Soldados se orgulham de suas feridas, exibem alegremente seu sangue jorrando sobre a couraça[19]. Embora aqueles que retornam incólumes da batalha possam ser igualmente bravos, aquele que retorna ferido é mais admirado.

Deus, eu digo, favorece aqueles a quem Ele deseja conceder as maiores honras, sempre que lhes oferece os meios de realizar algum feito com espírito e coragem, algo que não é facilmente alcançado: você pode julgar um piloto em uma tempestade, um soldado em uma batalha. Como posso saber com quanta determinação você suportaria a pobreza, se transborda de riquezas? Como posso saber com quanta firmeza você suportaria a desgraça, a desonra e o ódio público, se envelhece ao som de aplausos, se o favor popular não pode ser afastado de você, e parece fluir naturalmente nas

---

18 Ele era um "mirmilão", um tipo de gladiador armado com um capacete gaulês. (N. do A.)

19 Espartilho ou couraça usado pelos antigos soldados romanos. (N. do A.)

mentes das pessoas? Como posso saber com quanta calma você suportaria a falta de filhos, se vê todos os seus filhos ao seu redor? Ouvi o que disse quando estava consolando os outros: então eu deveria ter visto se você poderia ter se consolado, e se poderia ter se proibido de sofrer.

Peço-lhe: não tema aquelas coisas que os deuses imortais aplicam às nossas mentes como esporas: a desgraça é a oportunidade da virtude. Aqueles homens podem ser justamente chamados infelizes, já que estão atordoados com o excesso de prazer, que a satisfação letárgica mantém como se estivessem em um mar tranquilo: qualquer coisa que lhes aconteça lhes parecerá estranha.

As desventuras pesam mais sobre aqueles que não estão familiarizados com elas: o jugo parece pesado para o pescoço frágil. O recruta fica pálido ao pensar em um ferimento: o veterano, sabendo que frequentemente alcançou a vitória após perder sangue, olha corajosamente para seu próprio fluxo derramado. Da mesma maneira, Deus endurece, examina e exercita aqueles que Ele testa e ama: aqueles a quem Ele parece condescender e poupar, está mantendo despreparados para enfrentar suas futuras desventuras; pois você está enganado se supõe que alguém esteja isento de infortúnios: aquele que tem prosperado por muito tempo terá sua parte algum dia; aqueles que parecem ter sido poupados apenas tiveram sua ocorrência adiada. Por que Deus aflige os melhores homens com doença, tristeza ou outros problemas? Porque no exército as tarefas mais perigosas são atribuídas aos soldados mais bravos: um general envia suas tropas mais singulares para atacar o inimigo em uma emboscada notur-

DA PROVIDÊNCIA

na, para reconhecer sua linha de marcha ou para expulsar as guarnições hostis de suas fortalezas. Nenhum desses homens diz ao iniciar sua jornada: "O general tem sido duro comigo", mas "Ele julgou bem de mim". Que aqueles que são ordenados a suportar o que faz os fracos e covardes chorarem, digam também: "Deus nos considerou dignos de testar o quanto a natureza humana pode suportar de sofrimento".

Evite o luxo, evite o prazer nas delicadezas, pelo qual as mentes dos homens são amolecidas e no qual, a menos que algo ocorra para lembrá-los do destino comum da humanidade, eles jazem inconscientes, como se mergulhados em contínua embriaguez. Aquele que sempre foi protegido do vento por janelas envidraçadas, cujos pés são aquecidos por compressas constantemente renovadas, cuja sala de jantar é aquecida por ar quente sob o piso e espalhado pelas paredes, não pode enfrentar a brisa mais suave sem perigo.

Embora todos os excessos sejam prejudiciais, o excesso de conforto é o mais prejudicial de todos; ele afeta o cérebro, leva as mentes dos homens a imaginações vãs e espalha uma densa nuvem sobre os limites da verdade e da falsidade. Não é melhor, com a virtude ao nosso lado, suportar continuamente a desgraça do que explodir com um excesso interminável de coisas boas? É o estômago sobrecarregado que se rasga em pedaços: a morte trata a fome com mais brandura.

Os deuses tratam os homens bons seguindo a mesma regra que os professores com seus alunos, quando exigem mais esforço daqueles em quem têm as maiores esperanças. Você consegue imaginar que os lacedemônios[20], ao testarem a coragem de seus filhos com açoites públicos, não os amam? Seus próprios pais os convocam a suportar os golpes do açoite corajosamente e, quando estão feridos e meio mortos, pedem-lhes que ofereçam sua pele já ferida para novas receber.

Por que, então, deveríamos nos admirar se Deus prova severamente os espíritos nobres? Não pode haver prova fácil de virtude. A sorte nos açoita e nos dilacera: bem, vamos suportar isso, pois é crueldade; é uma luta na qual quanto mais nos engajarmos, mais corajosos nos tornaremos. A parte mais forte do corpo é aquela que é exercitada pelo uso mais frequente: devemos nos entregar à sorte para sermos endurecidos por ela contra ela mesma; aos poucos, ela nos tornará equivalentes. A familiaridade com o perigo nos leva a desprezá-lo. Assim como os corpos dos marinheiros se fortalecem pelo endurecimento com o mar, e as mãos dos agricultores pelo trabalho, os braços dos soldados são poderosos para lançar dardos, e as pernas dos corredores são ágeis: a parte mais exercitada de cada homem é também a mais forte; assim, pelo endurecimento, a mente se torna capaz de desprezar o poder das desventuras. Você verá o que a resistência pode fazer em nós se observar o que o trabalho faz, entre as tribos que não possuem recursos e se fortalecem pela necessidade.

Olhe todas as nações que habitam além do Império Romano: quero dizer os germânicos e todas as tribos nômades que guerreiam contra nós ao longo do Danúbio. Eles sofrem

---

20 Natural ou habitante da Lacedemônia ou Lacônia, unidade regional da Grécia situada na região de Peloponeso. (N. do E.)

DA PROVIDÊNCIA

com um inverno eterno e um clima sombrio, e o solo estéril lhes nega sustento se protegem da chuva com folhas ou colmo, atravessam pântanos congelados e caçam animais selvagens para se alimentar. Você acha que eles são infelizes?

Não há infelicidade naquilo que o uso tornou parte da natureza de alguém: aos poucos, os homens encontram prazer em fazer o que foram primeiramente impelidos a fazer por necessidade. Eles não têm lares nem lugares de descanso, exceto aqueles que o cansaço lhes designa para o dia; sua comida, embora grosseira, deve ser buscada com suas próprias mãos; a dureza do clima é terrível e seus corpos estão despidos. Isso, que você considera um fardo, é o modo de vida de todas essas raças: como então você pode se surpreender com bons homens sendo abalados, para que possam ser fortalecidos?

Nenhuma árvore na qual o vento não sopre com frequência é firme e forte; pois ela se fortalece pelo próprio ato de ser abalada e fixa suas raízes com mais segurança: aquelas que crescem em um vale protegido são frágeis; e assim é para o benefício dos homens bons, pois os faz ficarem destemidos; que eles vivam muito em meio a alarmes e aprendam a suportar com paciência o que não é mau, exceto para quem o suporta mal.

V

Além disso, é vantajoso para todos que os melhores homens estejam, por assim dizer, em serviço ativo e realizem trabalhos: Deus tem o mesmo propósito que o sábio, ou seja, provar que as coisas que o rebanho deseja e teme não são nem boas nem ruins em si mesmas. No entanto, se Ele apenas as concede aos homens bons, ficará evidente que são coisas boas, e ruins se Ele apenas as impõe aos homens maus.

A cegueira seria abominável se ninguém perdesse os olhos, exceto aqueles que merecem tê-los arrancados; portanto, que Ápio[21] e Metelo[22] sejam condenados à escuridão. A riqueza não é uma coisa boa: portanto, que Élio, o proxeneta, a possua, para que os homens que consagraram dinheiro no templo possam vê-lo também no bordel. Pois de maneira alguma Deus pode desacreditar os objetos de desejo com tanta eficácia quanto concedendo-os ao pior dos homens e removendo-os do melhor.

"Mas", você diz, "é injusto que um homem bom seja enfraquecido, transpassado ou acorrentado, enquanto homens maus se vangloriam à solta com uma pele intacta." O quê! Não é injusto que homens corajosos portem armas, passem a noite em acampamentos e fiquem de guarda ao longo do fosso com suas feridas ainda enfaixadas, enquanto dentro da cidade eunucos e libertinos profissionais vivem

---

21 Ápio Cláudio Cego (c. 340 a.C. - 273 a.C.), estadista romano e especialista jurídico. (N. do E.)
22 Lúcio Cecílio Meleto (c. 290 a.C. - 221 a.C.), general romano durante a Primeira Guerra de Púnica. (N. do E.)

DA PROVIDÊNCIA

tranquilamente? O quê! Não é injusto que donzelas da mais alta linhagem sejam despertadas à noite para realizar o serviço divino, enquanto mulheres rebaixadas desfrutam de um sono tranquilo?

O trabalho exige o melhor do homem: o senado muitas vezes passa o dia inteiro em debate, enquanto ao mesmo tempo patifes se divertem no Campo de Marte[23] ou se escondem em uma taberna, passando o tempo em sociedade agradável. A mesma coisa acontece nessa grande comunidade (do mundo): homens bons trabalham, gastam e são gastos, e isso também por vontade própria; eles não são arrastados pelo destino, mas o seguem e dão passos iguais junto dela; se soubessem como, o ultrapassariam.

Lembro-me também de ter ouvido esse ditado corajoso do homem de coração mais valente, Demétrio. "Ó deuses imortais", disse ele, "a única reclamação que tenho a fazer de vocês é que não me revelaram sua vontade antes; pois então eu teria ido mais cedo para aquele estado de vida ao qual agora fui chamado. Vocês querem levar meus filhos? Foi por vocês que eu os criei. Vocês querem levar alguma parte do meu corpo? Levem: não é algo grande que estou oferecendo, logo terminarei com tudo. Vocês querem minha vida? Por que eu hesitaria em devolvê-los o que me deram? Tudo o que pedirem receberão com a minha boa vontade: na verdade, eu preferiria dar do que ser forçado a entregá-los: por que vocês precisam tirar o que fizeram? Vocês poderiam tê-lo recebido de mim: no entanto, mesmo como está, não podem

---

23 Campus Martius, situado na Roma Antiga, era o local de altar de Marte e do templo de Apolo no século V a.C. (N. do E.)

tirar nada de mim, porque não podem roubar um homem, a menos que ele resista."

Não estou limitado a nada, não sofro nada contra minha vontade, nem sou escravo de Deus, mas seu seguidor voluntário, e tanto mais porque sei que tudo é ordenado e acontece de acordo com uma lei que perdura para sempre. Os destinos nos guiam, e a duração dos dias de cada homem é decidida na primeira hora de seu nascimento: cada causa depende de alguma causa anterior; uma longa cadeia de destino decide todas as coisas, públicas ou privadas. Portanto, tudo deve ser pacientemente suportado, porque os eventos não acontecem do nosso jeito, como imaginamos, mas seguem uma lei regular. Há muito tempo foi decidido em que momentos devemos nos alegrar e em quais devemos chorar, e embora as vidas de homens individuais pareçam diferir uns dos outros em uma grande variedade de detalhes, o resultado final é o mesmo: nós perecemos rapidamente, e os presentes que recebemos perecem rapidamente.

Por que, então, devemos ficar com raiva? Por que devemos nos lamentar? Estamos preparados para o nosso destino: deixemos a natureza lidar como ela quiser com seus próprios corpos; sejamos alegres, aconteça o que acontecer, e reflitamos corajosamente sobre o fato de que nada do que perece é realmente nosso. Qual é o dever de um homem bom? Submeter-se ao destino: é uma grande consolação ser levado junto com todo o universo; qualquer lei que nos seja imposta para vivermos assim e morrermos assim, também é imposta aos deuses: um fluxo inalterável arrasta homens e deuses juntos; o criador e governante do universo ele mesmo, embora tenha dado leis aos

DA PROVIDÊNCIA

destinos, ainda é guiado por eles: ele sempre obedece, pois só comandou uma vez.

"Mas por que Deus foi tão injusto na distribuição do destino, ao atribuir pobreza, feridas e mortes prematuras a homens bons?" O trabalhador não pode alterar seus materiais: essa é sua natureza. Algumas qualidades não podem ser separadas de outras: elas se agarram; são indivisíveis. Mentes inertes, inclinadas ao sono ou a um estado de vigília exatamente como o sono, são compostas de elementos lentos: é preciso materiais mais fortes para formar um homem que merece uma descrição cuidadosa. Seu caminho não será direto; ele deve subir e descer, ser lançado ao ar e guiar seu navio por águas turbulentas; ele deve abrir caminho apesar do destino: encontrará muitas dificuldades que deve amenizar, muitas asperezas que deve suavizar. O fogo prova o ouro, a adversidade prova os homens corajosos. Veja como a virtude tem que subir alto: pode ter certeza de que não há um caminho seguro para trilhar.

> "Íngreme é o caminho no começo: os cavalos, embora fortes,
> Recém-descansados, mal conseguem se mover;
> A parte central atravessa o mais alto céu,
> De onde muitas vezes, enquanto a terra e o mar estou a ver;
> Estremeço, terrores percorrem meu ser.
> O final do caminho é um íngreme descer,
> E requer rédeas guiadas com cuidado,
> Pois sempre que sou afundado,
> A velha Tétis treme em suas profundezas abaixo,
> Temendo que sobre ela eu seja derrubado."[24]

---

24 Os versos ocorrem nas *Metamorfoses de Ovídio*, ii. 63. Febo está ensinando a Faetonte como conduzir a carruagem do Sol. (N. do A.)

Quando o jovem animado assim ouviu, ele disse: "Não tenho nada a reclamar do caminho: vou subir, vale a pena passar por esses lugares, mesmo que alguém caia." Seu pai não parou de tentar assustar seu espírito corajoso com terrores:

"Então, para que sigas no rumo correto,
E não te desvies nem um só treto.
Deves atravessar os chifres do Touro.
Passar pelo Leão feroz sem temor.
E transpor o arco do Arqueiro, com bravor",

Após isso, Feton diz:

"Cele e prepare a carruagem que me concede; estou encorajado por essas coisas com as quais você pensa em me assustar: anseio por estar onde até o próprio Sol treme em ficar."

É parte dos subservientes e covardes seguir o caminho seguro; a coragem ama um caminho imponente.

VI

"No entanto, por que Deus permite que o mal aconteça aos bons homens?" Ele não permite: Ele retira deles todos os males, como crimes e maldades escandalosas, pensamentos audaciosos, planos gananciosos, desejos cegos e cobiça pelo bem do próximo. Ele os protege e os salva. Alguém além disso exige que Deus cuide também da bagagem dos bons homens? Bem, eles mesmos deixam esse cuidado para Deus: eles desprezam acessórios externos.

Demócrito[25] renunciou às riquezas, considerando-as um fardo para uma mente virtuosa: que maravilha, então, se Deus permite que isso aconteça a um homem bom, o que um homem bom às vezes escolhe realmente acontece? Bons homens, vocês dizem, perdem seus filhos: por que não deveriam, já que às vezes até mesmo os matam? Eles são banidos: por que não deveriam ser, já que às vezes deixam seu país de livre vontade, para nunca mais voltar? Eles são mortos: por que não, já que às vezes escolhem tirar violentamente a própria vida?

Por que eles sofrem certas misérias? É para ensinar aos outros como suportá-las. Eles nascem como exemplos. Portanto, conceba o que Deus diz: "Vocês, que escolheram a retidão, que reclamação podem fazer de mim? Eu envolvi outros homens com coisas boas irreais e enganei suas mentes vazias como se fosse por um longo e enganoso sonho: eu os enfeitei

---

25 Demócrito de Abdera (c. 460 a.C. – 370 a.C.) cuja doutrina atomista teve forte influência na Antiguidade. (N. do A.)

com ouro, prata e marfim, mas dentro deles não há nada de bom. Esses homens que vocês consideram afortunados, se pudessem ver, não sua aparência externa, mas sua vida oculta, são, na realidade, mesquinhos e vis, ornamentados por fora como as paredes de suas casas: aquela boa sorte deles não é sólida e genuína: é apenas um verniz, e um verniz fino.

Enquanto eles puderem se manter de pé e se exibir como desejarem, brilham e enganam; quando algo ocorre para abalá-los e desmascará-los, vemos como uma podridão profunda e real estava escondida por debaixo daquela magnificência artificial. A vocês eu dei coisas boas, seguras e duradouras, que se tornam maiores e melhores quanto mais as examinam por todos os lados: concedi a vocês o desprezo pelo perigo, e o desdém pela paixão. Vocês não brilham externamente, todas as suas boas qualidades são voltadas para dentro; assim como o mundo negligencia o que está fora dele e se alegra na contemplação de si mesmo. Coloquei cada coisa boa dentro de seus próprios corações: é sua boa sorte não precisar de nenhuma boa sorte.

"No entanto, muitas coisas acontecem com vocês que são tristes, terríveis, difíceis de suportar". Bem, como não pude remover tais coisas de seu caminho, dei às suas mentes a força para combatê-las: suportem-nas corajosamente. Nisso vocês podem superar Deus; Ele está além de sofrer o mal: e vocês estão acima disso. Desprezem a pobreza: nenhum homem vive tão pobre como nasceu; desprezem a dor: ou ela cessará ou vocês cessarão; desprezem a morte: ela ou acaba com vocês ou os leva para outro lugar; desprezem a sorte: não dei a ela nenhuma arma que possa alcançar a mente. Acima de

DA PROVIDÊNCIA

tudo, cuidei para que ninguém os mantivesse cativos contra a vontade de vocês: o caminho de fuga está aberto adiante: se vocês não escolherem lutar, podem fugir. Por essa razão, de todas aquelas questões que considerei essenciais para vocês, não criei nada mais fácil do que a morte.

Eu coloquei a vida do homem como se estivesse na encosta de uma montanha: ela logo escorrega e vai embora[26]. Basta observar, e você verá como é curto e fácil o caminho que leva à liberdade. Não impus demoras tão longas àqueles que saem do mundo como àqueles que nele entram: se não fosse assim, a sorte teria um amplo domínio sobre vocês, caso um homem morresse tão lentamente quanto ele nasce. Deixe que todo o tempo, deixe que todo lugar ensine a você como é simples renunciar à natureza e devolver seus presentes a ela: diante do próprio altar e durante os solenes ritos de sacrifício, enquanto a vida está sendo suplicada, aprenda a morrer. Bois gordos caem mortos com uma pequena ferida; um golpe da mão de um homem derruba animais de grande força: as suturas do pescoço são cortadas por uma lâmina fina, e quando a articulação que conecta a cabeça ao pescoço é cortada, toda aquela grande massa cai.

---

26 Compare com Walter Scott: "Todos... devem ter sentido que, se não fossem os ditames da religião ou o repúdio natural da mente pela ideia da dissolução, teriam havido momentos em que estariam dispostos a jogar fora a vida como uma criança joga fora um brinquedo quebrado. Tenho certeza de que conheço alguém que já se sentiu assim muitas vezes. Ó Deus! O que somos nós? - Senhores da natureza? - Por quê, uma telha cai de um telhado, algo que um elefante não sentiria mais do que uma folha de papelão, e ali jaz sua senhoria. Ou algo de origem inconcebivelmente minúscula, a pressão de um osso ou a inflamação de uma partícula do cérebro ocorre, e o símbolo da Divindade destrói a si mesmo ou a outra pessoa. Mantemos nossa saúde e nossa razão em termos mais frágeis do que qualquer pessoa desejaria, se estivesse em sua escolha, manter uma cabana irlandesa." — *Vida de Sir Walter Scott*, vol. VII, p. 11. (N. do A.)

O sopro da vida não está profundamente enraizado, nem é necessário soltá-lo com aço – as vísceras não precisam ser examinadas ao mergulhar uma espada nelas até seu punho: a morte está próxima da superfície; eu não designei um local específico para esses golpes – o corpo pode ser perfurado onde você quiser. A própria ação que é chamada "morrer", pela qual o sopro da vida deixa o corpo, é muito curta para que você possa estimar sua rapidez: seja um nó que esmaga a traqueia ou água que interrompe sua respiração, seja você caindo de cabeça de uma altura e perecendo no chão duro abaixo, ou uma baforada de fogo que corta seu ar – seja o que for, age rapidamente. Você não cora de passar tanto tempo temendo algo que leva tão pouco tempo para ser feito?"

SOBRE A CLEMÊNCIA

PRIMEIRO LIVRO

DIÁLOGO DE L. ANEU SÊNECA, DIRIGIDO A NERO CÉSAR

I

Decidi escrever um livro sobre a clemência, Nero César, para que eu possa, como que servindo de espelho, permitir que você se veja alcançando o maior de todos os prazeres. Pois embora o verdadeiro desfrute das boas ações consista em realizá-las, e as virtudes não tenham recompensa além delas mesmas, ainda assim vale a pena considerar e investigar uma boa consciência sob todos os pontos de vista, e depois lançar os olhos sobre essa enorme massa de humanidade — briguenta, facciosa e passional como são; provavelmente, se pudessem se livrar do jugo do seu governo, teriam prazer tanto na ruína de si mesmos quanto uns dos outros — e, assim, comungar consigo mesmo:

"Eu, entre todos os seres humanos, fui escolhido e considerado digno de desempenhar o papel de um deus na terra? Sou o árbitro da vida e da morte para a humanidade: cabe a mim decidir qual lote e posição na vida cada pessoa possui: a sorte se utiliza da minha boca para anunciar o que ela concede a cada indivíduo; cidades e nações se alegram com as minhas palavras; nenhuma região em qualquer lugar pode florescer sem o meu favor e boa vontade; todas essas milhares de espadas agora contidas pela minha autoridade seriam sacadas com um sinal meu; cabe a mim decidir quais tribos serão completamente exterminadas, quais serão transferidas para outras terras, quais receberão e quais serão privadas de liberdade, quais reis serão reduzidos à escravidão e quais terão suas cabeças coroadas, quais cidades serão destruídas e quais novas serão fundadas.

SÊNECA

Nessa posição de poder imenso, não sou tentado a punir injustamente os homens pela raiva, pelo ímpeto juvenil, pela imprudência e insolência, que muitas vezes superam a paciência até mesmo das mentes mais bem controladas, nem mesmo por aquela terrível vaidade, tão comum entre os grandes soberanos, de exibir poder inspirando terror. Minha espada está embainhada, sim, fixada em sua bainha: sou econômico até mesmo com o sangue do mais baixo de meus súditos: um homem que não tem mais nada para recomendá-lo, encontrará, ainda assim, graça aos meus olhos porque é um homem.. Mantenho a dureza oculta, mas a clemência está sempre à disposição: vigio-me com tanto cuidado como se tivesse que prestar contas das minhas ações às leis, trazidas das trevas e do abandono para a luz do dia. Fui movido à compaixão pela juventude de um culpado e pela velhice de outro: poupei um homem por causa de seu grande posto, outro por conta de sua insignificância: quando não pude encontrar razão para mostrar misericórdia, tive misericórdia de mim mesmo. Estou preparado hoje, caso os deuses exijam, para prestar a eles contas da raça humana."

Você, César, pode afirmar com audácia que tudo o que veio sob sua responsabilidade foi mantido seguro, e que o Estado não sofreu qualquer perda, seja aberta ou secretamente, em suas mãos. Você cobiçou uma glória que é muito rara e que nenhum imperador antes de você obteve: a da inocência. Sua notável bondade não é desperdiçada, nem é desvalorizada ingrata ou maliciosamente. Os homens sentem gratidão por você: ninguém jamais foi tão querido para outro quanto você é para o povo de Roma, cujo grande e duradouro benefício você representa.

SOBRE A CLEMÊNCIA

No entanto, você assumiu um fardo poderoso: ninguém mais fala dos tempos bons do falecido Imperador Augusto, ou dos primeiros anos do reinado de Tibério, ou propõe para sua imitação qualquer modelo fora de você mesmo: o seu é um reinado exemplar. Isso teria sido difícil se sua bondade de coração não fosse inata, mas apenas adotada por um tempo; pois ninguém pode usar uma máscara por muito tempo, e qualidades fictícias logo dão lugar às verdadeiras. Aquelas que são fundamentadas na verdade e que, por assim dizer, crescem a partir de uma base sólida, apenas se tornam maiores e melhores com o passar do tempo.

O povo romano estava em um estado de grande perigo enquanto era incerto como sua generosa[27] disposição se revelaria; agora, no entanto, as preces da comunidade têm certeza de uma resposta, pois não há receio de que você possa repentinamente esquecer seu próprio caráter. De fato, o excesso de felicidade torna os homens gananciosos, e nossos desejos nunca são tão moderados a ponto de se limitarem ao que já obtiveram: grandes sucessos se tornam trampolins para outros ainda maiores, e aqueles que obtiveram mais do que esperavam nutrem esperanças ainda mais extravagantes do que antes; no entanto, por todos os seus compatriotas, ouvimos a admissão de que eles agora são felizes, e além disso, que nada pode ser acrescentado às bênçãos que desfrutam, exceto que elas sejam eternas.

Muitas circunstâncias forçam essa admissão deles, embora seja a que os homens menos estejam dispostos a fazer: desfrutamos de uma paz profunda e próspera; o poder da lei

---

27 *Nobilis.* (N. do A.)

foi abertamente afirmado diante de todos os homens e elevado além do alcance de qualquer interferência violenta: a forma de nosso governo é tão feliz a ponto de conter todos os elementos essenciais da liberdade, exceto o poder de se destruir. No entanto, é a sua clemência que é especialmente admirada tanto pelos altos quanto pelos baixos; cada homem desfruta ou espera desfrutar das outras bênçãos do seu governo de acordo com a medida da sua própria sorte pessoal, enquanto da sua clemência todos têm esperança igual: ninguém tem tanta confiança em sua própria inocência a ponto de não se alegrar que, em sua presença, esteja uma clemência pronta para fazer concessões aos erros humanos.

II

No entanto, eu sei da existência de alguns que imaginam que a clemência apenas salva a vida de todo vilão, pois é inútil exceto após a condenação, e, sozinha entre todas as virtudes, não tem função entre os inocentes. Mas, em primeiro lugar, embora um médico só seja útil aos doentes, ainda assim ele é honrado também entre os saudáveis; e assim também a clemência, embora seja invocada por aqueles que merecem punição, é respeitada pelos inocentes. Além disso, ela pode existir também na pessoa do inocente, pois às vezes o infortúnio substitui o crime; de fato, a clemência não apenas socorre os inocentes, mas muitas vezes os virtuosos, já que com o tempo acontece de os homens serem punidos por ações que merecem louvor. Além disso, há uma grande parte da humanidade que poderia voltar à virtude se a esperança de perdão não lhes fosse negada.

No entanto, não é correto perdoar indiscriminadamente; pois quando não se faz distinção entre homens bons e maus, a desordem se segue e todos os vícios irrompem; devemos, portanto, tomar cuidado para distinguir os caracteres que admitem reforma daqueles que estão irremediavelmente depravados. Também não devemos mostrar uma clemência indiscriminada e geral, muito menos uma exclusiva; pois perdoar a todos é tão grande crueldade quanto perdoar a ninguém; devemos seguir um caminho intermediário; mas como é difícil encontrar o verdadeiro meio-termo, cuidemos para, caso nos afastemos demais, fazê-lo pelo lado da humanidade.

III

Mas esses assuntos serão tratados melhor em seus devidos lugares. Agora vou dividir todo o tema em três partes. A primeira será sobre a gentileza de temperamento[28]; a segunda será aquela que explica a natureza e disposição da clemência, pois, uma vez que existem certos vícios dotados de uma aparência de virtude, eles não podem ser separados, a menos que você lhes marque os sinais que os distinguem uns dos outros. Em terceiro lugar, vamos investigar como a mente pode ser levada a praticar essa virtude, como pode fortalecê-la e torná-la sua por meio do hábito.

Aquela clemência, que é a mais humana das virtudes, é a que melhor se adequa a um homem e é necessariamente um axioma, não apenas entre a nossa própria escola filosófica, que considera o homem como um animal social, nascido para o bem de toda a comunidade, mas também entre aqueles filósofos que o entregam inteiramente ao prazer, e cujas palavras e ações não têm outro objetivo além de seu próprio proveito pessoal. Se o homem, como eles argumentam, busca a tranquilidade e o repouso, qual virtude é mais agradável à sua natureza do que a clemência, que ama a paz e o impede da violência?

Agora, a clemência se torna mais apropriada a um rei ou a um príncipe; pois um grande poder é glorioso e admirá-

---

28 O texto está corrompido. Segui a emenda conjectural de Gertz, mansuefactionis, mas acredito que Lísipo esteja correto ao pensar que muito mais do que uma palavra foi perdida aqui. (N. do A.)

SOBRE A CLEMÊNCIA

vel apenas quando é benevolente; ser poderoso unicamente para causar danos é o poder de uma pestilência. A grandeza desse homem repousa unicamente sobre uma base segura, pois todos sabem que ele está do lado deles tanto quanto está acima deles, e diariamente recebem provas de seu zelo vigilante pela segurança de todos e cada um. Quando ele se aproxima, não fogem em terror, como se algum animal maligno e perigoso tivesse saído de sua toca, mas se aproximam dele como se aproximar de um sol brilhante e benéfico.

Eles estão perfeitamente dispostos a se jogarem sobre as espadas dos conspiradores em sua defesa, a oferecer seus corpos se o único caminho para a segurança dele tiver que ser formado por cadáveres; eles protegem seu sono por meio de vigílias noturnas, o cercam e defendem por todos os lados e se expõem aos perigos que o ameaçam. Não é sem razão que nações e cidades concordam em sacrificar suas vidas e propriedades pela defesa e amor de seu rei, sempre que a segurança de seu líder assim exige; as pessoas não se consideram baratas e tampouco são insanas quando tantos milhares são mortos em prol de um homem, ou quando por tantas mortes eles salvam a vida de um homem só, que não raramente é velho e frágil.

Assim como todo o corpo é comandado pela mente e, embora o corpo seja muito maior e mais bonito enquanto a mente é impalpável e oculta, e não temos certeza de onde ela está escondida, ainda assim as mãos, os pés e os olhos trabalham para ela, e a pele a protege; a seu comando, ficamos parados ou nos movemos inquietamente; quando ela dá a ordem, se for uma mestra avarenta, navegamos pelos mares em busca de ganho, ou se for ambiciosa, imediatamente colocamos nossa mão direita nas chamas como Múcio, ou saltamos no abismo como Curtius[29]. Da mesma forma, essa enorme multidão que cerca um homem é dirigida por sua vontade, é guiada por sua inteligência e se quebraria e se lançaria à ruína por sua própria força se não fosse sustentada por sua sabedoria.

---

29 Marcus Curtius, outro herói da Roma Antiga. Conta a lenda que, quando um profundo abismo se abriu no fórum romano, alguns videntes afirmaram que ele nunca se fecharia até que o bem mais valioso do lugar fosse lançado ali. Sob a afirmação de que nada poderia valer mais do que um cidadão corajoso, o herói saltou, junto ao seu cavalo, rumo ao precipício, que se fechou. (N. do E.)

IV

Portanto, os homens amam sua própria segurança quando organizam vastas legiões em batalha em nome de um superior, quando se colocam na vanguarda e expõem seus peitos a feridas, com medo de que os estandartes de seu líder sejam recuados. Ele é o elo que mantém a comunidade unida, ele é o sopro de vida para todos aqueles milhares, que por si mesmos se tornariam apenas um estorvo e uma fonte de saque se aquela mente direcionadora fosse retirada:

> As abelhas têm uma só mente, até que sua
> rainha venha a morrer,
> Pois quando ela morre, desordenadas elas voam a se perder.

Um infortúnio dessa natureza será o fim da paz de Roma, irá arruinar a prosperidade desse grande povo; a nação estará livre desse perigo enquanto souber como suportar as rédeas: caso as rompa algum dia, ou se recuse a tê-las substituídas caso elas se soltem por acidente, então esse imenso todo, essa complexa estrutura de governo, se despedaçará em muitos fragmentos, e o último dia do Império Romano será aquele em que esquecerão como obedecer.

Por essa razão, não devemos nos admirar que príncipes, reis e todos os outros protetores de um estado, independentemente de seus títulos, sejam amados para além do círculo de seus parentes próximos; pois, como homens de pensamento correto preferem os interesses do Estado aos seus próprios, uma vez que aquele que carrega o fardo dos assuntos do Estado deve ser mais querido por que lá está presente do que por seus próprios amigos. De fato, o imperador há muito tempo se identificou tão completamente com o Estado que nenhum deles pode ser separado sem causar danos a ambos, porque um requer poder, enquanto o outro requer uma liderança.

V

Minha argumentação parece ter se desviado um pouco do assunto, mas, por Hércules, tudo está realmente muito relacionado. Pois se, como podemos inferir do que foi dito, você é a alma do Estado e o Estado é o seu corpo, perceberá, imagino, quão necessária é a clemência; pois quando você parece poupar o outro, na verdade está poupando a si mesmo. Portanto, você deve poupar até mesmo cidadãos repreensíveis, assim como poupa membros fracos; e quando a sangria se torna necessária, deve segurar sua mão, para não cortar mais fundo do que o necessário.

A clemência, como eu disse antes, naturalmente convém a toda a humanidade, mas especialmente aos governantes, porque em seu caso há mais para ela salvar, e é exibida em uma escala maior. A crueldade em um homem comum pode causar apenas um pequeno dano; mas a ferocidade dos príncipes é uma guerra. Embora haja uma harmonia entre todas as virtudes, e nenhuma seja melhor ou mais honrosa que outra, algumas convêm melhor a algumas pessoas do que a outras. A magnanimidade convém a todos os homens mortais, até mesmo aos mais humildes de todos; pois o que pode ser maior ou mais corajoso do que resistir à má sorte?

No entanto, essa virtude da magnanimidade ocupa um espaço mais amplo na prosperidade, e se mostra com maior destaque no tribunal do que no piso do tribunal. Por outro lado, a clemência torna feliz e pacífica qualquer casa em que seja admitida; embora seja mais rara, é por isso ainda mais admirável em um palácio. O que seria mais notável do que aquele cuja raiva pode ser indulgenciada sem medo das consequências, e cuja decisão, mesmo que dura, seria aprovada até por aqueles que sofreriam com ela? A quem ninguém pode interromper e de quem, de fato, caso ele se enfureça violentamente, ninguém ousaria implorar por misericórdia, ele mesmo aplicar um freio a si mesmo e usar seu poder de maneira melhor e mais calma, refletindo: "Qualquer um pode violar a lei para matar um homem, mas somente eu posso violá-la para salvá-lo?"

Uma grande posição requer uma grande mente, pois a menos que a mente se eleve até mesmo acima do nível de sua posição, ela degradará tal posição e a arrastará para a terra; agora, é propriedade de uma grande mente ser calma e tranquila, e olhar para os ultrajes e insultos com desprezo. É coisa de mentes fracas enfurecer-se com paixão; é a parte de animais selvagens, e isso, também, não dos mais nobres, morder e atormentar os caídos.

Elefantes e leões passam por aqueles a quem derrubaram; a rancor é a qualidade de animais ignóbeis. Raiva feroz e implacável não convém a um rei, porque ele não preserva sua superioridade sobre o homem cujo nível ele desce ao se entregar à raiva; mas se concede a vida e as honras àqueles que estão em perigo e que merecem perdê-las, faz o que só pode ser feito por um governante absoluto; pois a vida pode ser arrancada até mesmo daqueles que estão acima de nós em posição, mas nunca pode ser concedida senão àqueles que estão abaixo de nós.

SOBRE A CLEMÊNCIA

Salvar as vidas dos homens é o privilégio da posição mais elevada, que nunca merece tanta admiração quanto ao ser capaz de agir como os deuses, por cuja bondade tanto os bons quanto os maus são trazidos ao mundo. Assim, um príncipe, imitando a mente de um deus, deve olhar com prazer para alguns de seus compatriotas porque são homens úteis e bons, enquanto deve permitir que outros permaneçam para preencher o registro; ele deve se alegrar com a existência dos primeiros e suportar a existência dos últimos.

VI

Observe esta cidade de Roma, na qual as ruas mais largas ficam entupidas sempre que algo interrompe as multidões que incessantemente as atravessam como torrentes furiosas; na qual as pessoas se dirigem aos três teatros exigindo as estradas ao mesmo tempo, na qual é consumido o produto de todo o mundo. Agora, reflita que deserto desolado ela se tornaria, se nela permanecessem apenas aqueles que um juiz rigoroso absolveria.

Quantos poucos magistrados existem que não deveriam ser condenados pelas mesmas leis que administram? Quantos poucos promotores são eles mesmos irrepreensíveis? Imagino também que há menos homens propensos a conceder perdão do que aqueles que, muitas vezes, tiveram que suplicá-lo para si mesmos.

Todos nós pecamos: alguns mais profundamente do que outros, alguns de propósito, alguns por impulso ocasional ou levados pela maldade de outros; alguns de nós não permanecemos com coragem suficiente em nossas boas resoluções e perdemos nossa inocência, ainda que relutantemente e após uma luta; e não apenas pecamos, mas até o fim de nossas vidas continuaremos a pecar. Mesmo que alguém tenha purificado tão perfeitamente sua mente que nada possa mais perturbá-lo ou enganá-lo, ainda assim ele alcançou esse estado de inocência por meio do pecado.

VII

Já que mencionei os deuses, vou apresentar o melhor modelo pelo qual um príncipe pode moldar sua vida: tratando seus compatriotas como gostaria que os deuses o tratassem. Seria desejável, então, que os deuses não mostrassem piedade diante de pecados e erros, e que eles nos perseguissem implacavelmente até a nossa ruína? Nesse caso, que rei estaria seguro? Que membros não seriam dilacerados e reunidos pelos adivinhos?

Por outro lado, se os deuses são propícios e bondosos, e não vingam imediatamente os crimes dos poderosos com raios, não é muito mais justo que um homem investido de autoridade sobre outros homens exerça seu poder com espírito de clemência, e considere se a condição do mundo é mais bela e agradável aos olhos quando o dia está calmo e sereno, ou quando tudo é abalado por frequentes trovões e relâmpagos que brilham por todos os lados!

No entanto, a aparência de um reinado pacífico e constitucional é a mesma do céu calmo e reluzente. Um reinado cruel é desordenado e oculto nas trevas, e enquanto todos tremem de terror diante das explosões repentinas, nem mesmo aquele que causou toda essa perturbação escapa ileso. É mais fácil encontrar desculpas para homens comuns que reivindicam obstinadamente seus direitos; possivelmente podem ter sido prejudicados, e sua raiva pode surgir de suas injustiças; além disso, eles temem ser desprezados, e não retribuir os ferimentos que receberam parece fraqueza, não clemência; mas aquele que pode facilmente se vingar e negligencia fazê-lo, certamente receberá elogios pela bondade de seu coração.

Aqueles que nascem em uma posição humilde podem exercer violência com maior liberdade, entrar em litígios, envolver-se em brigas e permitir que suas paixões iradas se manifestem; até mesmo golpes pouco significam entre dois iguais; mas no caso de um rei, até mesmo clamores altos e conversas desmedidas são impróprios.

VIII

Você considera uma questão séria tirar dos reis o direito de liberdade de expressão desfrutado pelos mais humildes. "Isso", você diz, "é ser súdito, não um rei." Ora, você não acha que temos o comando e você a submissão? Sua posição é totalmente diferente daqueles que se escondem na multidão da qual nunca saem, cujas virtudes nem sequer podem ser manifestadas sem uma longa luta, e cujos vícios estão envoltos em obscuridade; os rumores chegam até seus atos e palavras, e, portanto, ninguém deveria cuidar mais de sua reputação do que aqueles que certamente terão uma grande, seja ela qual for.

Quantas coisas você não pode fazer que, graças a você, nós podemos! Sou capaz de caminhar sozinho sem medo em qualquer parte de Roma, mesmo desacompanhado, mesmo sem guardas em minha casa, nem espada ao meu lado. Você deve viver armado na paz que mantém[30]. Não pode se afastar de sua posição; ela o cerca e o acompanha com grande pompa onde quer que vá. Essa escravidão de não poder rebaixar seu status pertence à mais alta posição de todas; no entanto, é um fardo que você compartilha com os deuses.

Eles também estão presos no céu, e é tão impossível para eles descerem quanto é perigoso para você; está acorrentado ao seu pináculo elevado. Poucas pessoas têm conhecimento dos nossos movimentos; podemos sair, voltar para casa e trocar de roupa sem que seja publicamente conhecido; mas

---

30 Passo. (N. do A.)

você não consegue se esconder assim como o sol. Uma luz forte está ao seu redor, e os olhos de todos estão voltados para ela. Você acha que está saindo de sua casa? Não, você está surgindo para o mundo. Você não pode falar sem que todas as nações ouçam sua voz; não pode se irritar sem fazer tudo tremer, porque você não pode ferir ninguém sem abalar todos ao seu redor.

Assim como os raios, quando caem, ameaçam poucos homens, mas amedrontam a todos, o castigo infligido por grandes potentados amedronta mais amplamente do que prejudica, e isso por boas razões; pois no caso de alguém cujo poder é absoluto, as pessoas não pensam no que ele fez, mas sim no que ele pode fazer. Além disso, homens comuns suportam injustiças mais pacientemente porque já suportaram outras; a segurança dos reis, por outro lado, é fundamentada com mais certeza na bondade, pois punições frequentes podem esmagar o ódio de alguns, mas despertam o ódio de todos.

Um rei deve desejar perdoar enquanto ainda tem motivos para ser severo; se agir de outra forma, assim como árvores podadas rebrotam com inúmeras ramagens, e muitas plantações são cortadas para que cresçam mais densamente, um rei cruel aumenta o número de seus inimigos ao destruí-los; pois os pais e filhos dos que são mortos, assim como seus parentes e amigos, tomam o lugar de cada vítima.

IX

Desejo provar a verdade disso com um exemplo tirado de sua própria família. O falecido Imperador Augusto[31] foi um príncipe benevolente, se avaliarmos seu caráter a partir da era de seu reinado; no entanto, ele recorreu às armas quando o Estado era compartilhado entre o triunvirato[32]. Quando ele tinha exatamente a sua idade, ao final de seu vigésimo segundo ano, já havia escondido adagas sob as roupas de seus amigos, já havia conspirado para assassinar Marco Antônio, o cônsul, e já havia participado da proscrição.

Mas quando ele passou dos sessenta[33] anos, enquanto estava na Gália, recebeu informações de que Lúcio Cin-

---

31 Augusto (63 a.C. - 14 d.C.), fundador do Império Romano. Após o assassinato de Júlio César, Augusto foi nomeado seu herdeiro. Como parte do Segundo Triunvirato, acabou por derrotar os assassinos de seu tio-avô. (N. do E.)

32 Veja nota na página 21. (N. do E.)

33 Gertz lê sexagesimum, seu sexagésimo ano, o que ele chama de "a conjectura não muito audaciosa de Wesseling", e acrescenta que o faz por causa das palavras no início do capítulo XI e da autoridade de Dion Cássio. A leitura comum é quadragesimum, "seu quadragésimo ano", e é a data à qual a conspiração de Cinna é referida por Merivale, em "História dos Romanos sob o Império", vol. IV, cap. 37. "Uma conspiração", diz ele, "foi formada para sua destruição, à frente da qual estava Cornélio Cinna, descrito como filho de Fausto Sula por uma filha do Grande Pompeu." A história da conspiração de Cinna é contada por Sêneca, em "De Clem.", I, 9, e por Dion, IV, 14 e seguintes. Eles concordam no fato principal; mas Sêneca é nossa autoridade para os detalhes do encontro entre Augusto e seu inimigo, enquanto Dion certamente inventou sua longa conversa entre o imperador e Lívia. Sêneca, no entanto, chama o conspirador de Lúcio e situa o evento no quadragésimo ano de Augusto (731 d.C.), a cena na Gália; Dion, por outro lado, dá os nomes de Gneu e supõe que as circunstâncias ocorreram vinte e seis anos depois, e em Roma. Observa-se que um filho de Fausto Sula deve ter pelo menos cinquenta anos nesta última data, e não sabemos por que ele deveria ter o nome de Cinna, embora uma adoção não seja impossível. (N. do A.)

na[34], um homem tolo, estava tramando contra ele: o plano foi traído por um dos conspiradores, que lhe contou onde, quando e de que maneira Cinna pretendia atacá-lo. Augusto decidiu garantir sua própria segurança contra esse homem, e ordenou que um conselho de seus próprios amigos fosse convocado.

Ele passou uma noite agitada, refletindo que seria obrigado a condenar à morte um jovem de nobre linhagem, que não era culpado de nenhum crime além desse, e que era neto de Cneu Pompeu[35]. Ele, que havia se sentado à mesa e ouvido M. Antônio[36] ler em voz alta seu édito de proscrição, agora não suportava sequer a ideia de tirar a vida de um único homem.

Entre lamentos, ele fazia intervalos, proferindo várias exclamações inconsistentes: "O quê! Devo permitir que meu assassino ande livremente enquanto sou atormentado pelo medo? Não se deve punir o homem que conspirou não apenas para matar, mas também para sacrificar-me no altar" — pois os conspiradores pretendiam atacá-lo durante um sacrifício — "agora que há paz por terra e por mar, aquela vida que tantas guerras civis procuraram em vão, que saindo ilesa de tantas batalhas de frotas e exércitos?"

Então, após um intervalo de silêncio, ele dizia a si mesmo em um tom muito mais alto e irritado do que havia usado

---

34 Lúcio Cornélio Cinna (c. 132 a.C. - 84 a.C.), líder romano que se opôs a Lúcio Cornélio Sula. Sua filha, Cornélia, foi esposa de Júlio César. (N. do E.)

35 Cneu Pompeu Magno (c. 106 a.C. - 48 a.C.), político romano. Seu pai, Cneu Pompeu Estrabão, foi o primeiro de sua família a alcançar o posto de cônsul. (N. do E.)

36 Veja a peça *Júlio César* de Shakespeare, Ato IV, Cena 1. (N. do A.)

SOBRE A CLEMÊNCIA

com Cinna: "Por que você vive, se é tão vantajoso para tantos homens que você morra? Não há fim para essas execuções? Para esse derramamento de sangue? Sou uma figura erguida para que jovens de nobre nascimento afiem suas espadas. Vale a pena viver, se tantos devem perecer para evitar que eu pereça?"

Por fim, sua esposa Lívia interrompeu-o, dizendo: "Você seguirá o conselho de uma mulher? Faça como os médicos fazem, que, quando os remédios usuais falham, tentam seus opostos. Até agora você não ganhou nada com medidas duras: Salvidienus foi seguido por Lépido, Lépido por Muraena, Muraena por Cápio e Cápio por Egnácio, sem mencionar outros dos quais se sente vergonha por terem ousado tentar um feito tão grande. Agora tente o que a clemência pode fazer: perdoe Lúcio Cinna. Ele foi descoberto, agora não pode mais lhe causar nenhum mal, e pode fazer muito bem para sua reputação." Deliciado por encontrar alguém que apoiasse sua visão do caso, ele agradeceu a esposa e imediatamente mandou dizer a seus amigos, cujo conselho havia solicitado, que ele não precisava mais de seus conselhos, convocando Cinna sozinho. Depois de mandar colocar um segundo assento para o mesmo, ele mandou que todos os outros saíssem da sala e disse: "O primeiro pedido que tenho a fazer é que não me interrompa enquanto estou falando com você, e que você não grite no meio do meu discurso; você terá tempo para falar livremente em resposta a mim.

Cinna, quando te encontrei no acampamento inimigo, você, que não se tornou, mas nasceu meu inimigo, salvei sua vida e lhe devolvi toda a propriedade de seu pai. Agora você é tão próspero e rico que muitos do partido vitorioso o invejam, o derrotado: quando você era candidato ao sacerdócio, eu ignorei muitos outros cujos pais haviam servido comigo nas guerras e o dei a você; e agora, depois de tanto bem que fiz, você decidiu me matar." Quando, ao ouvir isso, o homem exclamou que estava longe de ser tão insano, Augusto respondeu: "Você não está cumprindo sua promessa, Cinna; foi acordado entre nós que não me interromperia. Repito, você está se preparando para me matar."

Ele, então, prosseguiu contando a ele o lugar, os nomes de seus cúmplices, o dia, a maneira como haviam planejado fazer o ato e qual deles daria a facada fatal. Quando viu os olhos de Cinna fixos no chão e que ele estava em silêncio, não mais por causa do acordo, mas por consciência de sua culpa, disse: "Qual é a sua intenção ao fazer isso? É para que você mesmo possa ser imperador? O povo romano deve estar em péssimas condições se nada além de minha vida impede que você governe sobre eles. Você nem consegue manter a dignidade de sua própria casa: recentemente você foi derrotado em um conflito jurídico pela influência superior de um liberto. Então não há tarefa mais fácil do que chamar seus amigos para se reunirem em torno de você contra César. Vamos lá, se você acha que sou o único que atrapalha sua ambição, então Paulo Fábio Máximo[37], os Cossi e os Servilii e toda essa banda de nobres, cujos nomes não são meras pretensões vazias, mas cuja ascendência realmente os torna ilustres, vão tolerar que você governe sobre eles?" Para não

---

37 Paulo Fábio Máximo, amigo íntimo do imperador Augusto. (N. do E.)

SOBRE A CLEMÊNCIA

preencher a maior parte deste livro repetindo todo o seu discurso — pois sabe-se que ele falou por mais de duas horas, prolongando essa punição, que era a única que ele pretendia infligir —, disse, por fim: "Cinna, concedo-lhe sua vida pela segunda vez: quando a dei a você antes, você era um inimigo declarado, e agora é um conspirador e parricida secreto[38].

A partir de hoje, sejamos amigos; vamos ver quem de nós é o mais sincero: eu ao lhe dar sua vida ou você ao dever sua vida a mim." Depois disso, concedeu por vontade própria o consulado a ele, reclamando que não ousou se candidatar a esse cargo; Cinna então se tornou seu herdeiro único, e ninguém nunca mais tramou algo contra ele.

---

38 Em alusão ao título de "Pai da Pátria", concedido pelo Senado a Augusto. Veja *Merivale*, cap. 33. (N. do A.)

X

Seu tataravô poupou os vencidos: sobre quem ele teria governado se não os tivesse poupado? Ele recrutou Salústio, os Cocoeii, os Deillii e todo o círculo interno de sua corte do acampamento de seus oponentes. Logo depois, sua clemência lhe trouxe um Domitius, um Messala, um Asinius, um Cícero e toda a elite do Estado. Por quanto tempo ele esperou a morte de Lépido; por anos ele permitiu reter todos os sinais de realeza, e não permitiu que o cargo de pontífice máximo fosse conferido a si mesmo até depois da morte de Lépido; pois ele desejava que tal fosse chamado de "cargo honroso" e não de espólio "arrancado de um inimigo vencido".

Foi essa clemência que lhe permitiu terminar seus dias em segurança e proteção: foi isso que o tornou popular e amado, embora ele tivesse colocado suas mãos no pescoço dos romanos quando ainda não estavam acostumados a suportar o jugo, e isso lhe confere, até os dias atuais, uma reputação como poucos príncipes desfrutaram em vida.

Nós acreditamos que ele seja um deus, e não apenas porque somos ordenados a fazê-lo. Declaramos que Augusto foi um bom imperador, e que foi digno de levar o nome de seus pais, por nenhuma outra razão além do fato de que ele nem mesmo demonstrou crueldade ao vingar insultos pessoais, algo que a maioria dos príncipes sente mais intensamente do que injúrias reais;

SOBRE A CLEMÊNCIA

porque ele sorria diante de piadas escandalosas contra si mesmo, porque era evidente que ele próprio sofria quando punia os outros, e porque ele estava tão longe de matar até mesmo aqueles que havia condenado por conspirar com sua filha, que quando foram banidos ele lhes deu passaportes para permitir que viajassem com mais segurança.

Quando você sabe que haverá muitos tomando sua briga para si mesmos e tentando ganhar seu favor através do assassinato de deus inimigos, realmente os perdoa se não apenas lhes concede a vida, mas também garante que não a percam.

XI

Assim era Augusto quando velho, ou quando estava envelhecendo: em sua juventude, ele era precipitado e apaixonado fez muitas coisas pelas quais se arrependia. Ninguém se atreverá a comparar o governo do abençoado Augusto com a brandura do seu, mesmo que sua juventude seja comparada à velhice dele: ele era gentil e complacente, mas foi depois de tingir o mar de Actium com sangue romano; depois de destruir a frota do inimigo e a sua própria na Sicília; depois do holocausto de Perúsia e das proscrições.

Mas não chamo de clemência o cansaço da crueldade; verdadeira clemência, César, é aquela que você demonstra, que não surgiu do remorso por sua ferocidade passada, na qual não há mancha, que nunca derramou o sangue de seus compatriotas: isso, quando combinado com poder ilimitado, demonstra o verdadeiro autocontrole e o amor abrangente pela raça humana como por si mesmo, não corrompido por desejos mesquinhos, ideias extravagantes ou qualquer um dos maus exemplos de ex-imperadores, que tentavam, por meio de experimentos reais, descobrir até que ponto poderiam exercer tirania sobre seus compatriotas, mas inclinando-se mais a embotar sua espada de império.

Você, César, nos concedeu o benefício de manter nosso estado livre de derramamento de sangue, e aquilo do qual você se gaba, de não ter causado uma única gota de sangue derramada em qualquer parte do mundo, é ainda mais magnânimo e maravilhoso, porque ninguém nunca teve o poder

SOBRE A CLEMÊNCIA

da espada em suas mãos em idade mais jovem. A clemência, então, torna os príncipes mais seguros e respeitados, e é uma glória para os impérios, além de ser o meio mais confiável de sua preservação.

Por que os soberanos legítimos envelheceram no trono e legaram seu poder a seus filhos e netos, enquanto o domínio de usurpadores despóticos é tanto odioso quanto efêmero? Qual é a diferença entre o tirano e o rei – pois seus símbolos externos de autoridade e seus poderes são os mesmos – exceto pelo fato de que os tiranos se deleitam com a crueldade, enquanto os reis são cruéis apenas por boas razões e porque não podem evitar?[39]

---

39 Toda essa comparação, que parece tão sem sentido tanto em latim quanto em inglês, é emprestada das declamações eternas de Plutarco e dos filósofos gregos sobre βασιλεῖς e τύραννοι. Veja Plutarco, *Vidas Paralelas* e Arato, Platão, *Górgias* e *Político*; Arnold, *Apêndice a Tucídides*, vol. I, e *Dicionário de Antiguidades*, s.v. (N. do A.)

XII

"Então", você diz, "os reis também não executam pessoas?" Eles o fazem, mas apenas quando essa medida é recomendada pelo interesse público; os tiranos desfrutam da crueldade. Um tirano difere de um rei em suas ações, não em seu título: pois o mais velho Dionísio merece ser preferido a muitos reis, mas o que impede de chamarmos Lúcio Sula de tirano, já que ele parou de matar apenas porque não tinha mais inimigos?

Embora ele tenha renunciado à sua ditadura e retomado o traje de cidadão comum, qual tirano já bebeu sangue humano tão avidamente como ele, que ordenou o massacre de sete mil cidadãos romanos, e que, ao ouvir os gritos de tantos milhares sendo mortos à espada enquanto ele estava sentado no templo de Bellona, disse ao Senado aterrorizado: "Vamos cuidar dos nossos negócios, Pais Conscritos; são apenas alguns perturbadores da paz pública que estão sendo mortos por minhas ordens." Ao dizer isso, ele não mentiu: realmente pareciam poucos para Sula.

Mas falaremos dele em breve, quando considerarmos como devemos sentir raiva de nossos inimigos, pelo menos quando nossos próprios compatriotas, membros da mesma comunidade que nós, foram arrancados dela e assumiram o nome de inimigos: enquanto isso, como eu estava dizendo, a clemência é o que faz a grande distinção entre reis e tiranos. Embora cada um deles possa estar igualmente cercado por soldados armados, o primeiro usa suas tropas para proteger

SOBRE A CLEMÊNCIA

a paz de seu reino, e o segundo as usa para reprimir grande ódio com grande terror: e mesmo assim ele não confia em quem ele confia a sua vida. Ele é impelido em direções opostas por paixões conflitantes: pois, como é odiado porque é temido, ele deseja ser temido porque é odiado: e ele age de acordo com o espírito do verso odioso, que derrubou tantos de seus tronos:

"Pois, deixem-nos me odiar, se eles também temem a mim!"

Não sabendo quão desesperados os homens ficam quando seu ódio se torna excessivo: pois uma quantidade moderada de medo contém os homens, mas uma apreensão constante e aguda dos piores tormentos desperta até os espíritos mais servis para atos de coragem imprudente, e os faz hesitar diante de nada. Assim como uma corda cheia de penas[40] impede que feras selvagens escapem: mas se um cavaleiro começar a atirar nelas do outro lado, tentarão escapar exatamente por cima daquilo que as assustou e pisarão a causa de seu alarme.

Nenhuma coragem é tão grande como aquela que nasce da desesperança total. Para manter as pessoas subjugadas pelo terror, é preciso conceder-lhes uma certa quantidade de segurança e deixá-las ver que têm muito mais a esperar do que temer: caso contrário, se um homem está em igual perigo, seja se ele permanece imóvel ou age, sentirá prazer real em arriscar sua vida e a lançará ao vento como se não fosse sua.

---

40 *Sobre a Ira*, ii. 11. (N. do A.)

XIII

Um rei calmo e pacífico confia em suas guardas, pois as utiliza para garantir a segurança comum de todos os seus súditos, e seus soldados, que veem que a segurança do Estado depende de seus esforços, suportam voluntariamente as mais severas privações e se orgulham de serem os protetores do pai de sua nação. Enquanto isso, o seu tirano cruel e assassino deve ser odiado até mesmo por seus próprios janízaros.

Nenhum homem pode esperar serviço voluntário e leal daqueles a quem trata como instrumentos de tortura e morte, como se fossem a roda e o machado, ou como se joga carne às feras selvagens. Nenhum prisioneiro no banco dos réus está tão cheio de angústia e ansiedade quanto um tirano; pois, ao temer tanto os deuses quanto os homens, já que eles testemunharam e vingarão seus crimes, ao mesmo tempo ele se comprometeu tanto com esse curso de ação que não é capaz de alterá-lo. Talvez essa seja a pior qualidade da crueldade: um homem precisa continuar exercendo-a, e é impossível para ele voltar atrás e começar em um caminho melhor; pois crimes devem ser protegidos por novos crimes.

No entanto, quem pode ser mais infeliz do que aquele que é realmente obrigado a ser um vilão? Quão grande deve ser a sua piedade por si mesmo, pois seria impiedoso que outros tenham piedade de um homem que

SOBRE A CLEMÊNCIA

fez uso de seu poder para assassinar e devastar, que se tornou desconfiado por todos em casa e no exterior, que teme os próprios soldados a quem busca segurança, que não ousa confiar na lealdade de seus amigos ou no afeto de seus filhos: que, sempre que considera o que fez e o que está prestes a fazer, e lembra-se de todos os crimes e torturas que sua consciência carrega, deve temer a morte muitas vezes e ainda assim a desejar muitas vezes, pois ele deve ser ainda mais odioso para si mesmo do que é para seus súditos.

Por outro lado, aquele que se interessa por todo o Estado, que zela por todos os seus departamentos com mais ou menos cuidado, que cuida de todos os negócios como se fossem seus próprios, que é naturalmente inclinado a medidas suaves e mostra, mesmo quando é vantajoso punir, quão relutante está em usar remédios severos; que não tem sentimentos de raiva ou selvageria, mas exerce sua autoridade com calma e bondade, preocupando-se até mesmo que seus oficiais subordinados sejam populares entre seus compatriotas, que considera sua felicidade completa se puder fazer a nação compartilhar sua prosperidade, que é cortês na linguagem, cuja presença é de fácil acesso, que olha com bondade para seus súditos, que está disposto a conceder todos os seus desejos razoáveis e não trata seus desejos irracionais com dureza – tal príncipe é amado, protegido e adorado por todo o seu império.

As pessoas falam dele em particular com as mesmas palavras que usam em público: elas estão ansiosas para criar famílias sob seu reinado e põem fim à esterilidade que a miséria pública havia tornado generalizada: todos sentem que ele realmente merecerá que seus filhos sejam gratos a ele por tê-los trazido para uma era tão feliz. Tal príncipe é protegido por sua própria bondade; ele não precisa de guardas: suas armas servem apenas como decoração.

XIV

Qual é, então, o dever dele? É o mesmo dos bons pais, que às vezes repreendem seus filhos com bondade, às vezes os ameaçam e até mesmo os castigam. Nenhum homem em seu juízo perfeito deserdaria seu filho por sua primeira ofensa: ele não impõe essa sentença extrema a menos que sua paciência tenha sido esgotada por muitos graves erros, a menos que tema que seu filho faça algo pior do que aquilo pelo qual o pune. Antes de fazer isso, ele faz muitas tentativas de guiar a mente de seu filho pelo caminho correto enquanto ela ainda hesita entre o bem e o mal e deu apenas seus primeiros passos na depravação; apenas quando o caso é sem esperança que ele adota essa medida extrema.

Ninguém exige que as pessoas sejam executadas antes de ter falhado em instruí-las. O que é dever de um pai também é dever do príncipe a quem, não sem uma adulação vazia, chamamos de "Pai da nossa Pátria". Outros nomes são dados como títulos de honra: temos chamado alguns homens de "O Grande", "O Sortudo" ou "O Augusto" e assim satisfizemos sua paixão por grandiosidade ao conceder-lhes toda a dignidade que pudermos; mas quando chamamos um homem de "Pai da sua Pátria", fazemos com que ele entenda que confiamos a ele um poder paternal sobre nós, que é de caráter mais ameno, pois um pai se preocupa com seus filhos e subordina seus próprios interesses aos deles.

SÊNECA

Um pai leva muito tempo antes de amputar um membro de seu próprio corpo: mesmo depois de amputá-lo, ele deseja substituí-lo e, ao amputá-lo, lamenta e hesita muito tempo; pois aquele que condena rapidamente não está longe de estar disposto a condenar; e aquele que inflige um castigo demasiado severo está muito próximo de punir injustamente.

XV

Dentro de minha própria memória, o povo apunhalou no fórum com suas estiletes de escrita um cavaleiro romano chamado Tricho, porque ele havia castigado seu filho até a morte: mesmo a autoridade de Augusto César mal conseguiu salvá-lo das garras raivosas de pais e filhos; mas todos admiraram Tarius, que, ao descobrir que seu filho planejava o parricídio, o julgou, o condenou e ficou satisfeito em puni-lo com o exílio, e isso para aquele agradável local de exílio, Marselha, onde lhe deu a mesma mesada anual que fazia quando ele era inocente: o resultado dessa generosidade foi que, mesmo em uma cidade onde todo vilão encontra alguém para defendê-lo, ninguém duvidou que ele foi justamente condenado, pois até mesmo o pai que não conseguia odiá-lo, no entanto, o havia condenado.

Nesse mesmo exemplo, apresento um bom príncipe, que você pode comparar a um bom pai. Tarius, ao se preparar para julgar seu filho, convidou Augusto César para ajudar no julgamento: Augusto entrou em sua casa particular, sentou-se ao lado do pai, participou de um conselho de família de outro homem e não disse: "Não, ele deveria vir para minha casa", porque se tivesse feito isso, o julgamento teria sido conduzido por César e não pelo pai. Quando a causa foi ouvida, depois de tudo o que o jovem alegou em sua própria defesa e tudo o que foi alegado contra ele foi discutido minuciosamente, o imperador pediu que cada homem escrevesse sua sentença — em vez de pronunciá-la em voz alta —, para que nem todos seguissem a César na sentença: então, antes de abrir as tábuas, ele declarou que se Tarius, que era um homem rico, o tornasse seu herdeiro, ele não aceitaria a herança.

Pode-se dizer que "provou-se uma mente mesquinha ao temer que as pessoas pensassem que condenou seu filho para poder herdar a propriedade." Sou de opinião contrária – qualquer um de nós deve ter confiança suficiente na consciência de sua própria integridade para defendê-la contra a calúnia, mas os príncipes devem se esforçar muito para evitar até mesmo a aparência do mal. Ele jurou que não aceitaria a propriedade. Naquele dia, Tarius perdeu dois herdeiros para sua propriedade, mas César ganhou a liberdade de formar um julgamento imparcial: e quando ele provou que sua severidade era desinteressada, ponto do qual um príncipe nunca deve perder de vista, ele sentenciou que o filho deveria ser banido para qualquer lugar que o pai escolhesse.

Ele não o condenou ao saco e às serpentes ou à prisão, porque pensou, não em quem era a pessoa sobre a qual estava passando a sentença, mas em quem era a pessoa com quem estava sentado para julgar: ele disse que um pai deveria estar satisfeito com a forma mais branda de punição para seu jovem filho, que havia sido seduzido a cometer um crime, tentando-o de forma tão covarde que quase era inocente dele, e que deveria ser afastado de Roma e dos olhos de seu pai.

XVI

Quão digno era ele de ser convidado por pais para participar de seus conselhos familiares: quão digno de ser feito coerdeiro com crianças inocentes!

Essa é a espécie de clemência que convém a um príncipe; onde quer que ele vá, que faça com que todos se tornem mais caridosos. Aos olhos do rei, ninguém deve ser tão desprezível que ele não note se vive ou morre: seja qual for seu caráter, é parte do império.

Vamos tomar exemplos de grandes reinados de reinos menores. Há muitas formas de realeza: um príncipe reina sobre seus súditos, um pai sobre seus filhos, um professor sobre seus alunos, e um tribuno ou centurião sobre seus soldados.

Não seria ele, que constantemente pune seus filhos batendo neles pelos erros mais insignificantes, considerado o pior dos pais? Qual é o mais digno de ministrar uma educação liberal: aquele que esfola seus alunos vivos se sua memória for fraca, ou se seus olhos não percorrem rapidamente as linhas ao ler, ou aquele que prefere melhorar e instruí-los com advertências gentis e influência moral?

Se um tribuno ou centurião é severo, ele fará dos homens desertores, e não se pode culpá-los por deserção. Nunca é certo governar um ser humano de forma mais dura e cruel do que governamos animais mudos; no entanto, um domador de cavalos habilidoso não assustará um cavalo com golpes frequentes, pois ele se tornará tímido e perverso se você não o acalmar com afagos e carícias.

Da mesma forma, um caçador, tanto quando está ensinando filhotes a seguir as pegadas de animais selvagens, quanto quando usa cães já treinados para expulsá-los de suas tocas e caçá-los, não costuma ameaçá-los com espancamentos, pois, se o fizer, quebrará seu espírito e os tornará estúpidos e covardes de medo; embora, por outro lado, ele não permita que vaguem e se movam livremente.

O mesmo acontece com aqueles que conduzem os animais de tração mais lentos, que, embora o tratamento brutal e a miséria sejam seu destino desde o nascimento, ainda podem se recusar a puxar se forem submetidos a crueldades excessivas.

XVII

Nenhuma criatura é mais teimosa, requer um manejo mais cuidadoso ou deve ser tratada com maior indulgência do que o ser humano. O que, de fato, pode ser mais tolo do que nos envergonharmos de mostrar raiva contra cães ou animais de carga e, ainda assim, desejar que um homem seja tratado de forma abominável por outro? Não estamos zangados com doenças, mas aplicamos remédios a elas: pois isso também é uma doença da mente, requer medicamentos calmantes e um médico que esteja longe de se zangar com seu paciente.

É papel de um médico ruim desistir de obter a cura: aquele a quem é confiada a responsabilidade do bem-estar de todos os homens deve agir como um bom médico e não ter pressa de desistir da esperança ou declarar que os sintomas são mortais; ele deve lutar contra vícios, resisti-los, reprovar alguns por sua doença e enganar outros com um modo de tratamento suave, porque curará seu paciente mais rapidamente e de forma mais completa se os medicamentos que administra escaparem de sua percepção: um príncipe deve se preocupar não apenas com a recuperação de seu povo, mas também com que suas cicatrizes sejam honrosas.

Punições cruéis não trazem honra a um rei: quem duvida que ele é capaz de infligi-las? Mas, por outro lado, lhe traz grande honra restringir seus poderes, salvar muitos da ira dos outros e não sacrificar ninguém em benefício próprio.

XVIII

É louvável que um homem mantenha limites razoáveis no tratamento dos seus escravos. Mesmo no caso de uma propriedade humana, deve-se considerar não o quanto se pode torturá-lo impunemente, mas até que ponto esse tratamento é permitido pela bondade natural e pela justiça, que nos leva a agir gentilmente até mesmo com prisioneiros de guerra e escravos comprados a preço — quanto mais com cavalheiros respeitáveis e nascidos livres? —, e não tratá-los com brutalidade arrogante como propriedades humanas, mas como pessoas um pouco abaixo de nós em posição, que foram colocadas sob nossa proteção em vez de serem designadas como servos.

Os escravos têm permissão para correr e buscar refúgio junto à estátua de um deus; embora as leis permitam que um escravo seja maltratado até qualquer limite, há, no entanto, algumas coisas que as leis comuns da vida nos proíbem de fazer a um ser humano. Quem não odeia Vedius Pollio[41] ainda mais do que seus próprios escravos odiavam, porque ele costumava engordar suas lampreias com sangue humano e ordenava que aqueles que o ofendiam de alguma forma fossem lançados em seu tanque de peixes, ou melhor, tanque de serpentes? Aquele homem merecia morrer mil mortes, tan-

---

41 Vedius Pollio tinha uma vila na montanha agora chamada Punta di Posilippo, que se projeta para o mar entre Nápoles e Puteoli, a qual ele deixou para Augusto e que depois foi possuída pelo imperador Trajano. Ele era um liberto por nascimento e notável apenas por suas riquezas e crueldade. Cf. Dion Cássio, liv. 23; Plínio, H. N. IX. 23; e Sêneca, *Sobre a Ira*, III. 40, 2. (N. do A.)

SOBRE A CLEMÊNCIA

to por jogar seus escravos para serem devorados pelas lampreias que ele mesmo pretendia comer, quanto por manter lamreias para alimentá-las dessa forma.

Mestres cruéis são apontados com repugnância em todas as partes do mundo e são odiados e desprezados; os atos errados dos reis são realizados em um teatro mais amplo: sua vergonha e impopularidade perduram por gerações; contudo, como teria sido muito melhor nunca ter nascido do que ser incluso entre aqueles que nasceram para prejudicar seu país!

XIX

Nada pode ser imaginado como mais adequado a um soberano do que a clemência, por qualquer título e direito que ele possa ser colocado sobre seus concidadãos. Quanto maior for o seu poder, mais bela e admirável ele confessará ser a sua clemência: pois não há motivo para que o poder cause qualquer dano, desde que seja exercido de acordo com as leis da natureza.

A própria natureza concebeu a ideia de um rei, como você pode aprender com vários animais, especialmente com as abelhas, entre as quais a cela do rei é a mais espaçosa, e é colocada na parte central e mais segura da colmeia; além disso, ele não trabalha, mas se ocupa em manter os outros em seu trabalho. Se o rei se perder, todo o enxame se dispersa: eles nunca suportam ter mais de um rei por vez e descobrem qual é o melhor fazendo-os lutar entre si: além disso, o rei se distingue por sua aparência majestosa, sendo maior e mais brilhante do que as outras abelhas.

A distinção mais notável, no entanto, é a seguinte: as abelhas são muito ferozes e, para o seu tamanho, são as mais combativas das criaturas, deixando seus ferrões nas feridas que fazem; mas o próprio rei não tem ferrão: a natureza não deseja que ele seja selvagem ou busque vingança a um preço tão caro, e assim o privou de sua arma e acalmou sua fúria. Ela o ofereceu como um modelo para grandes soberanos: pois costuma se exercitar em assuntos pequenos e espalhar modelos minúsculos das maiores estruturas.

SOBRE A CLEMÊNCIA

Devemos nos envergonhar por não aprender uma lição de comportamento com essas pequenas criaturas, pois um homem, que tem muito mais poder de causar danos do que elas, deve mostrar uma quantidade correspondente de autocontrole. Quisera Deus que os seres humanos estivessem sujeitos à mesma lei e que sua raiva se destruísse junto com seu instrumento, para que pudessem infligir apenas uma ferida e não usassem a força dos outros para realizar seus ódios: pois sua fúria logo enfraqueceria se carregasse seu próprio castigo e só pudesse dar vazão à violência arriscando-se à morte.

Mesmo assim, ninguém pode exercê-la com segurança, pois deve sentir tanto medo quanto espera causar, deve vigiar os movimentos de todos, e mesmo quando seus inimigos não estão lançando mãos violentas sobre ele, deve lembrar que estão conspirando para fazê-lo, e ele não pode ter um único momento livre de atenção. Alguém suportaria viver uma vida assim, quando poderia desfrutar dos privilégios de sua alta posição para a alegria geral de todos, sem prejudicar ninguém, e por essa mesma razão não ter ninguém a temer? Pois é um equívoco supor que o rei possa estar seguro em um estado onde nada está seguro do rei: ele só pode garantir uma vida sem ansiedades para si mesmo garantindo o mesmo para seus súditos.

Ele não precisa construir cidadelas altas, escalar colinas íngremes, cortar os lados das montanhas e cercar-se com muitas linhas de muralhas e torres: a clemência tornará um rei seguro até mesmo em uma planície aberta. A única fortificação que não pode ser invadida é o amor de seus compatriotas.

SÊNECA

O que pode ser mais glorioso do que uma vida que todos esperam, espontaneamente e sem pressão oficial, que dure muito tempo? Para quê despertar o medo das pessoas, e não suas esperanças, se assim sua saúde se deteriora um pouco? Saber que ninguém considera nada tão precioso que não ficaria feliz em trocá-lo pela saúde de seu soberano? "Oh, que nenhum mal lhe aconteça!" eles clamariam: "Ele deve viver por causa dele mesmo, não apenas por nós: suas provas constantes de bondade o fizeram pertencer ao Estado em vez de o Estado pertencer a ele." Quem ousaria tramar qualquer perigo contra um rei assim? Quem não preferiria, se pudesse, manter a desgraça longe daquele sob o qual a justiça, a paz, a decência, a segurança e o mérito florescem, sob quem o Estado se enriquece com uma abundância de todas as coisas boas e o olha com o mesmo espírito de adoração e respeito com que deveríamos olhar para os deuses imortais, se eles nos permitissem vê-los como o vemos? Por que não? Aquele homem não se aproxima muito dos deuses já que age de maneira divina e que é benéfica, sendo generoso e poderoso para o bem? Seu objetivo e orgulho devem estar em ser considerado o melhor, bem como o maior dos seres humanos.

XX

Um príncipe geralmente impõe punição por uma de duas razões: ele deseja afirmar seus próprios direitos ou os de outro. Primeiro, discutirei o caso em que ele está pessoalmente envolvido, pois é mais difícil para ele agir com moderação quando age sob o impulso de uma dor real do que quando o faz apenas pelo exemplo.

Não é necessário lembrá-lo neste momento que deve ser lento lento em acreditar no que ouve, descobrir a verdade, mostrar favor à inocência e ter em mente que provar tais coisas é tanta responsabilidade do juiz quanto do réu; pois essas considerações estão relacionadas à justiça, não à clemência. O que estamos encorajando-o a fazer agora é não perder o controle sobre seus sentimentos quando recebe uma lesão inconfundível, e abrir mão de puni-la se puder fazer isso com segurança; caso contrário, moderar a severidade da punição e mostrar-se muito mais relutante em perdoar as injustiças feitas aos outros do que aquelas feitas a si mesmo.

Pois, assim como o homem verdadeiramente generoso não é aquele que doa o que pertence aos outros, mas aquele que se priva do que dá a outro, também não chamaria de príncipe clemente aquele que olha com bons olhos uma injustiça feita a outra pessoa, mas aquele que não é movido nem mesmo pela picada de uma lesão pessoal, e que entende o quão magnânimo é para alguém cujo poder é ilimitado permitir-se ser injustiçado, assim não havendo espetáculo mais nobre do que o de um soberano que recebeu uma lesão sem vingá-la.

XXI

A vingança serve a dois propósitos: ela ou proporciona compensação à pessoa que sofreu a injustiça, ou a protege contra perseguições futuras. Um príncipe é rico demais para precisar de compensação, e seu poder é muito evidente para que ele precise ganhar uma reputação de poder causando sofrimento a alguém. Refiro-me, quando ele é atacado e ferido por seus subordinados, pois se ele vê aqueles que antes eram seus iguais em uma posição inferior à sua, já está suficientemente vingado. Um rei pode ser morto por um escravo, ou uma serpente, ou uma flecha: mas ninguém pode ser salvo exceto por alguém maior do que aquele a quem ele salva.

Portanto, aquele que tem o poder de dar e tirar a vida deve usar esse grande dom dos céus de maneira vigorosa. Acima de tudo, se ele obtém esse poder sobre aqueles que ele sabe que um dia estiveram no mesmo nível que ele, completou sua vingança e fez tudo o que precisava fazer em relação à punição de seu adversário; pois aquele que deve sua vida a outro deve tê-la perdido, e aquele que foi derrubado do alto e jaz aos pés de seu inimigo, com seu reino e sua vida dependendo do prazer de outro, acrescenta à glória de seu salvador se lhe for permitido viver, e aumenta sua reputação muito mais ao permanecer ileso do que se fosse eliminado. No primeiro caso, ele permanece como um testemunho eterno da coragem de seu

SOBRE A CLEMÊNCIA

conquistador, enquanto se fosse conduzido em um desfile de triunfo logo desapareceria da vista[42].

Se, no entanto, seu reino também puder ser deixado com segurança em suas mãos e ele mesmo for reconduzido ao trono do qual caiu, tal medida confere um aumento imenso de brilho àquele que desprezou levar qualquer coisa de um rei conquistado além da glória de tê-lo conquistado. Fazer isso é triunfar até mesmo sobre a própria vitória e declarar que nada foi encontrado entre os vencidos que valesse a pena ser levado pelo vencedor.

Quanto aos seus compatriotas, estrangeiros e pessoas de condição humilde, ele deve tratá-los com menos severidade, porque custa muito menos superá-los. Você ficaria feliz em poupar alguns; contra outros você desprezaria reivindicar seus direitos, e se absteria de tocá-los assim como você se absteria de tocar em pequenos insetos que sujam suas mãos quando os esmaga: mas no caso de homens sobre os quais todos os olhos estão voltados, quer sejam poupados ou condenados, você deve aproveitar a oportunidade de tornar sua clemência amplamente conhecida.

---

42 Os príncipes conquistados que eram conduzidos por Roma em triunfos eram geralmente mortos quando a procissão terminava. (N. do A.)

XXII

Vamos agora passar para a consideração das injustiças cometidas contra os outros, nas quais a lei visa três objetivos, que o príncipe também deve buscar: corrigir aquele que é punido, tornar os outros homens melhores por meio da punição e, ao eliminar os maus, permitir que os outros vivam sem medo. Você corrigirá mais facilmente os próprios homens com uma punição leve, pois aquele que ainda tem parte de sua fortuna intocada se comportará com menos imprudência; por outro lado, ninguém se preocupa com respeitabilidade depois de perdê-la: é uma espécie de impunidade não ter mais nada a perder com a punição.

No entanto, é propício para a moralidade de um estado que a punição seja raramente infligida, pois onde há uma multidão de pecadores, as pessoas se acostumam ao pecado; a vergonha é menos sentida quando compartilhada com um número de criminosos, e sentenças severas, se frequentemente pronunciadas, perdem a influência que constitui seu principal poder como medidas corretivas. Um bom rei estabelece um bom padrão de moralidade para seu reino e afasta os vícios se ele for tolerante com eles, não para parecer que os encoraja, mas para ser relutante e sofrer muito quando forçado a castigá-los. A clemência de um soberano até envergonha os homens de fazer o mal, pois a punição parece muito mais grave quando infligida por alguém misericordioso.

XXIII

Além disso, você verá que os pecados frequentemente punidos são frequentemente cometidos. Seu pai costurou mais parricídas dentro de sacos[43] durante cinco anos do que ouvimos falar em todos os séculos anteriores. Ainda que o maior dos crimes permanecesse sem qualquer lei especial, as crianças tinham muito mais medo de cometê-lo. Nossos sábios ancestrais, profundos conhecedores da natureza humana, preferiam deixar isso de lado como uma maldade grande demais para ser acreditada e além da audácia do pior criminoso, em vez de ensinar aos homens que isso poderia ser feito, estabelecendo uma penalidade para isso: parricídios, consequentemente, eram desconhecidos até que uma lei fosse feita contra eles, e a penalidade mostrava-lhes o caminho para o crime. A afeição filial logo pereceu, pois desde então vimos mais homens punidos com o saco do que com a cruz.

Onde os homens raramente são punidos, a inocência se torna a regra e é encorajada como um benefício público. Se um Estado se considera inocente, ele será inocente: ficará ainda mais zangado com aqueles que corrompem a simplicidade geral dos modos se vir que eles são poucos em número. Acredite em mim, é perigoso mostrar a um Estado quão grande é o número de homens maus que ele contém.

---

43 A "penalidade do saco" (*poena cullei*) da lei romana permitia que criminosos declarados culpados de parricídio fossem amarrados dentro de um saco e jogados na água. (N. do R.)

XXIV

Uma vez foi proposto no Senado distinguir escravos de homens livres por sua vestimenta: então foi descoberto quão perigoso seria para nossos escravos poderem contar nossos números. Esteja certo de que o mesmo acontecerá se o delito de ninguém for perdoado: logo será descoberto até que ponto o número de homens maus excede o de homens bons.

Muitas execuções são tão vergonhosas para um soberano quanto muitos funerais são para um médico: aquele que governa com menos rigor é melhor obedecido. A mente humana é naturalmente obstinada, pateia contra o aguilhão e se volta contra a autoridade; ela seguirá mais prontamente do que pode ser conduzida.

Assim como cavalos bem-educados e de espírito elevado são melhor manejados com rédea solta, a misericórdia inclina as mentes dos homens espontaneamente para a inocência, e o público acha que vale a pena observá-la. A misericórdia, portanto, faz mais bem do que a severidade.

XXV

A crueldade está longe de ser um vício humano e é indigna da mente gentil do homem: é mera loucura bestial encontrar prazer em sangue e feridas, renunciar à humanidade e transformar-se em uma fera selvagem da floresta. Diga-me, Alexandre, qual é a diferença entre jogar Lisímaco[44] dentro de uma jaula de leão e dilacerar sua carne com seus próprios dentes? É você quem tem a boca do leão e a ferocidade do leão. Como você ficaria satisfeito se tivesse garras em vez de unhas e mandíbulas capazes de devorar homens! Não esperamos que sua mão, a certa assassina de seus melhores amigos, restaure a saúde de alguém; nem que seu espírito orgulhoso, fonte inesgotável de mal para todas as nações, se satisfaça com algo que não seja sangue e matança: chamamos de misericórdia o fato de seu amigo ter como seu algoz um ser humano..

A razão pela qual a crueldade é o vício mais odioso de todos é que ela ultrapassa primeiro os limites comuns e depois os da humanidade; ela concebe novos tipos de punições, chama a engenhosidade para ajudá-la a inventar dispositivos para variar e prolongar o tormento dos homens e se deleita com seus sofrimentos: essa doença maldita da mente atinge seu ápice de loucura quando a crueldade em si mesma se transforma em prazer, e o ato de matar um homem se torna gozo. Um governante assim é logo derrubado de seu trono; sua vida é ameaçada pelo

---

44 Lisímaco (361 a.C. - 281 a.C.) guarda-costas de Alexandre, O Grande. (N. do E.)

veneno um dia e pela espada no próximo; ele está exposto a tantos perigos quantos os homens a quem ele é perigoso, e às vezes é destruído por tramas individuais e, em outras ocasiões, por uma insurreição geral.

Comunidades inteiras não são estimuladas à ação por ultrajes insignificantes contra pessoas particulares; mas a crueldade, que se estende mais amplamente e da qual ninguém está seguro, torna-se alvo das armas de todos os homens. Cobras muito pequenas passam despercebidas, e o país todo não se une para destruí-las; mas quando uma delas excede o tamanho usual e se torna um monstro, quando envenena fontes com seu cuspe, queima a vegetação com seu hálito e espalha a ruína por onde rasteja, atiramos nela com máquinas militares. Pequenos males podem nos enganar e escapar à nossa observação, mas nos preparamos para atacar os grandes.

Uma pessoa doente nem sequer perturba a casa em que está; mas quando mortes frequentes mostram que uma praga está assolando, há um clamor geral, as pessoas fogem e sacodem os punhos com raiva até mesmo contra os próprios deuses. Se um incêndio irrompe em um único telhado, a família e os vizinhos derramam água sobre ele; mas uma ampla conflagração que consumiu muitas casas deve ser sufocada sob as ruínas de um bairro inteiro de uma cidade.

XXVI

A crueldade, mesmo de homens particulares, às vezes tem sido vingada por seus escravos, apesar da certeza de que serão crucificados: reinos inteiros e nações, quando oprimidos por tiranos ou ameaçados por eles, tentaram sua destruição. Às vezes, suas próprias guardas se revoltaram e usaram contra seu mestre toda a falsidade, deslealdade e ferocidade que aprenderam com ele. O que, de fato, ele pode esperar daqueles a quem ensinou a serem maus? Um homem ruim não será obediente por muito tempo e não fará apenas tanto mal quanto lhe for ordenado.

Mas mesmo que o tirano possa ser cruel com segurança, como seu reino deve ser miserável: deve parecer uma cidade tomada por tempestade, como uma cena horrível de pânico geral. Em toda parte há tristeza, ansiedade, desordem; os homens temem até mesmo seus próprios prazeres; eles não podem nem jantar uns com os outros com segurança quando têm que vigiar suas palavras mesmo quando estão embriagados, nem podem comparecer aos espetáculos públicos com segurança quando informantes estão prontos para encontrar motivos para acusação em seu comportamento lá.

Embora os espetáculos sejam fornecidos a um custo enorme, com magnificência real e com artistas famosos no mundo todo, quem se importa com entretenimento quando está na prisão? Ó deuses! Que vida miserável é matar e enfurecer-se, deleitar-se com o tilintar das correntes e cortar as cabeças de seus compatriotas, fazer o sangue fluir livremente onde quer que se vá, aterrorizar as pessoas e fazê-las fugir de vista! É o que aconteceria se ursos ou leões fossem nossos mestres, se serpentes e todas as criaturas mais venenosas tivessem poder sobre nós.

Mesmo esses animais, destituídos de razão como são e acusados por nós de ferocidade cruel, poupam os de sua própria espécie, e as feras selvagens respeitam a própria semelhança: mas a fúria dos tiranos não se detém nem mesmo para seus parentes, e eles tratam amigos e estranhos da mesma forma, tornando-se mais violentos quanto mais se comprazem em suas paixões. Gradualmente, ele passa do massacre de indivíduos para a ruína de nações, e considera um sinal de poder incendiar telhados e revolver os sítios de cidades antigas: ele considera indigno de um imperador ordenar a execução de apenas uma ou duas pessoas e pensa que sua crueldade está sendo restringida indevidamente se não forem enviados também grupos inteiros de infelizes para a execução.

A verdadeira felicidade, por outro lado, consiste em salvar a vida de muitos homens, em trazê-los de volta das próprias portas da morte e em ser tão misericordioso a ponto de merecer uma coroa cívica[45] . Nenhuma decoração é mais digna ou adequada ao posto de

---

45 A coroa "cívica" de folhas de carvalho era concedida àquele que havia salvo a vida de um concidadão na guerra. Foi concedida a Augusto e, depois dele, aos outros imperadores, como preservadores do Estado. (N. do A.)

SOBRE A CLEMÊNCIA

um príncipe do que aquela coroa "por salvar as vidas de concidadãos": não troféus arrancados de um inimigo vencido, não carruagens molhadas com o sangue de seus cruéis proprietários, não despojos capturados em guerra. Esse poder que salva a vida das pessoas em multidões e por nações é divino: o poder de massacres extensos e indiscriminados é o poder da ruína e da conflagração.

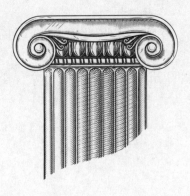

SEGUNDO LIVRO

DIÁLOGO DE L. ANNAEUS SÊNECA, ENDEREÇADO A NERO CÉSAR

I

Fui especialmente levado a escrever sobre a clemência, Nero César, por uma frase sua, que me lembro de ter ouvido com admiração e que depois contei a outros: uma nobre frase, demonstrando uma mente grandiosa e grande gentileza, que irrompeu de repente de você sem premeditação, e não estava destinada a chegar a outros ouvidos além dos seus, e que revelou o conflito que estava em curso entre sua bondade natural e seus deveres imperiais.

Seu prefeito Burrus, um homem excelente que nasceu para ser servo de um imperador como você, estava prestes a ordenar a execução de dois bandidos, e estava pressionando você a escrever seus nomes e os motivos pelos quais seriam mortos: isso já havia sido adiado várias vezes, e ele estava insistindo para que fosse feito naquele momento. Quando ele relutantemente apresentou o documento e o colocou em suas mãos igualmente relutantes, você exclamou: "Quem dera que eu nunca tivesse aprendido as letras!"

Oh, que discurso, digno de ser ouvido por todas as nações, tanto aqueles que habitam dentro do Império Romano, aqueles que desfrutam de uma independência duvidosa em suas fronteiras, quanto aqueles que lutam contra ele, seja em vontade ou em ação! É um discurso que deveria ser proferido antes de uma reunião de toda a humanidade, cujas palavras todos os reis e príncipes deveriam jurar obedecer: um discurso digno dos dias da inocência humana, e digno de trazer de volta aquela era de ouro.

Agora, de fato, todos devemos concordar em amar a justiça e a bondade; a avareza, que é a raiz de todo mal, deve ser afastada, a piedade e a virtude, a boa fé e a modéstia devem retomar seu reinado interrompido, e os vícios que tão longa e vergonhosamente nos governaram devem finalmente ceder lugar a uma era de felicidade e pureza.

II

Até certo ponto, César, podemos esperar e esperar que isso aconteça. Deixe sua própria bondade de coração se espalhar gradualmente por todo o corpo do império, e todas as partes se moldarão à sua semelhança. A boa saúde procede da cabeça para todos os membros do corpo: todos eles estão ou animados e eretos, ou apáticos e murchos, de acordo com o florescimento ou murcha de seu espírito orientador. Tanto romanos como aliados se mostrarão dignos dessa sua bondade, e bons costumes voltarão ao mundo todo: suas mãos encontrarão menos trabalho em todos os lugares.

Permita-me me deter um pouco nessa sua frase, não porque seja um assunto agradável para seus ouvidos (na verdade, esse não é meu estilo; eu prefiro ofender contando a verdade do que buscar favor com bajulação). Qual é, então, minha razão? Além de desejar que você esteja o mais familiar possível com suas próprias boas ações e boas palavras, para que o que agora é um impulso não instruído se torne uma decisão amadurecida, lembro-me de que muitas frases grandes, mas odiosas, tornaram-se parte da vida humana e são familiares na boca das pessoas, como aquela célebre "Que me odeiem, contanto que me temam", que é semelhante ao verso grego "ἐμοῦ θανόντος γαῖα μιχθήτω πυρί", em que um homem manda a terra perecer em chamas depois que ele está morto, e outras do mesmo tipo.

Não sei como, mas certamente a engenhosidade humana parece ter encontrado mais facilidade em expressar de forma enfática e ardente sentimentos monstruosos e cínicos: nunca ouvi até agora nenhuma frase inspirada de uma pessoa boa e gentil. Qual é, então, o resultado de tudo isso? É que, embora raramente e contra sua vontade, e após muita hesitação, às vezes você deve escrever aquilo que o fez odiar suas letras, mas você deve fazê-lo com grande hesitação e depois de muitos adiamentos, assim como faz agora.

III

Mas, para que a palavra plausível "misericórdia" não nos engane às vezes e nos leve ao extremo oposto, vamos considerar o que é misericórdia, quais são suas qualidades e dentro de quais limites está confinada.

Misericórdia é "uma restrição da mente em relação à vingança quando está em seu poder se vingar", ou é "a gentileza mostrada por um homem poderoso ao determinar o castigo de um mais fraco". É mais seguro ter mais de uma definição, já que uma pode não abranger todo o assunto e pode, por assim dizer, perder sua causa: misericórdia, portanto, também pode ser chamada de tendência à brandura ao infligir punição.

É possível descobrir certas inconsistências na definição que se aproxima da verdade mais do que todas as outras, que é chamar a misericórdia de "autocontrole, que remite uma parte da pena que merece receber e que lhe é devida". A isso será objetado que nenhuma virtude jamais dá a qualquer homem menos do que ele merece. No entanto, todos entendem que a misericórdia consiste em ficar aquém da pena que poderia ser infligida com justiça.

IV

Os ignorantes pensam que o oposto da misericórdia é a rigidez, mas nenhuma virtude é o oposto de outra virtude. Então, qual é o oposto da misericórdia? Crueldade, que não passa de obstinação em impor punições. "Mas", você diz, "algumas pessoas não impõem punições e ainda assim são cruéis, como aquelas que matam os estrangeiros que encontram, não para roubá-los, mas por prazer de matar, e homens que não se satisfazem apenas com a morte, mas torturam com crueldade selvagem, como o famoso Busíris[46] e Procusto, e piratas que açoitam seus cativos e os queimam vivos."

Isso parece ser crueldade, mas como não é resultado de vingança (pois não sofreu nenhum agravo) e não é motivada por qualquer ofensa (pois nenhum crime a precedeu), não se enquadra na nossa definição, que se limita a "excesso ao impor penalidades aos transgressores". Podemos dizer que isso não é crueldade, mas ferocidade, que encontra prazer na selvageria, ou podemos chamá-la de loucura, pois a loucura é de diversos tipos, e não há loucura maior do que aquela que se dedica a massacrar e mutilar seres humanos.

Portanto, chamarei de cruéis aqueles que têm motivo para punir, mas punem sem moderação, como Fálaris, que se diz ter torturado homens culpados com uma crueldade inumana e incrível. Podemos evitar sutilezas definindo crueldade como "uma tendência da mente em direção a medidas seve-

---

46 Um rei do Egito, que sacrificava estrangeiros e foi morto por Hércules. (N. do A.)

SOBRE A CLEMÊNCIA

ras". A misericórdia repele a crueldade e a mantém distante: com a rigidez ela está em termos de amizade.

Neste ponto, é útil investigar o que é compaixão, pois muitos a elogiam como uma virtude e dizem que um homem bom está cheio de compaixão. Isso também é uma doença da mente. Ambas estão próximas da misericórdia e da rigidez, e ambas devem ser evitadas, para que, sob o nome de rigidez, não caiamos na crueldade, e sob o nome de misericórdia, não caiamos na compaixão. É menos perigoso cometer este último erro, mas ambos nos afastam igualmente da verdade.

V

Assim como os deuses são adorados pela religião, mas são desonrados pela superstição, todos os homens bons mostrarão misericórdia e bondade, mas evitarão a compaixão, que é um vício incidente em mentes fracas que não suportam ver o sofrimento alheio. Isso é mais comummente encontrado nas piores pessoas; há mulheres idosas e meninas[47] que se comovem com as lágrimas dos maiores criminosos e que, se pudessem, os libertariam da prisão. A compaixão considera as desgraças de um homem sem levar em conta a causa delas, enquanto a misericórdia está associada à razão.

Eu sei que a doutrina dos estoicos é impopular entre os ignorantes por ser excessivamente severa e improvável de dar bons conselhos a reis e príncipes; ela é criticada porque declara que o sábio não sabe sentir compaixão nem conceder perdão. Essas doutrinas, se consideradas separadamente, são de fato odiosas, pois parecem não dar aos homens esperança de reparar seus erros, mas exigir uma punição para cada deslize.

Se isso fosse verdade, como seria verdadeira sabedoria nos ordenar que abdiquemos dos sentimentos humanos e nos excluirmos da ajuda mútua, que é o refúgio mais seguro contra os ataques do destino? Mas nenhuma escola de filosofia é mais gentil e benevolente, nenhuma está mais cheia

---

47 "Três ou quatro meninas onde eu estava, choraram 'Ai, boa alma!' e o perdoaram de todo coração: mas não devemos dar atenção a elas; se César tivesse esfaqueado suas mães, elas não teriam feito menos." - *Júlio César*, ato i, cena 2. (N. do A.)

SOBRE A CLEMÊNCIA

de amor pela humanidade ou mais ansiosa em promover a felicidade de todos, já que seus princípios são servir e ajudar os outros, e buscar o interesse de cada um e de todos, não apenas de si mesma.

A compaixão é um distúrbio da mente causado pela visão das misérias alheias, ou é uma tristeza causada pelos males com os quais acredita-se que os outros estejam injustamente afligidos, mas o sábio não pode ser afetado por nenhum distúrbio, sua mente é calma e nada pode perturbá-la. Além disso, nada se adequa mais a um homem do que a magnanimidade, mas a magnanimidade não pode coexistir com a tristeza.

A tristeza sobrecarrega a mente dos homens, os abate, os contrai; agora, isso não pode acontecer com o sábio nem mesmo em suas maiores desventuras, mas ele rechaçará a fúria da sorte e triunfará sobre ela; ele sempre manterá a mesma expressão calma e serena, o que ele nunca poderia fazer se fosse acessível à tristeza.

VI

Além disso, o sábio se preocupa com o futuro e sempre tem um plano de ação claro e pronto: mas nada claro e verdadeiro pode surgir de uma fonte perturbada. A tristeza é inábil em avaliar a situação, em elaborar soluções úteis, evitar caminhos perigosos e avaliar os méritos dos justos e corretos; portanto, o sábio não sentirá compaixão, pois isso não pode acontecer a menos que sua mente esteja perturbada. Ele fará de bom grado e com nobreza tudo o que aqueles que sentem compaixão costumam fazer; ele enxugará as lágrimas dos outros, mas não misturará as suas com elas; ele estenderá a mão ao marinheiro naufragado, oferecerá hospitalidade ao exilado e esmolas aos necessitados – não da maneira ofensiva como a maioria daqueles que desejam ser considerados de coração terno, jogam sua generosidade para aqueles a quem ajudam e se afastam deles, mas como um homem daria algo a outro do estoque comum – ele devolverá os filhos às mães chorosas, soltará as correntes do prisioneiro, libertará o gladiador de sua servidão e até mesmo enterrará o cadáver do criminoso, mas ele fará tudo isso com uma mente calma e expressão serena inalterada.

Assim, o sábio não terá compaixão pelos homens, mas os ajudará e servirá, vendo que ele nasceu para ser uma ajuda a todos os homens e um benefício público, do qual ele distribuirá uma parte a cada um. Ele até concederá uma parte proporcional de sua generosidade àqueles sofredores que merecem culpa e correção, mas ajudará muito mais prontamente aqueles cujas aflições e adversidades são causadas

SOBRE A CLEMÊNCIA

pelo infortúnio. Sempre que puder, ele se interporá entre a Sorte e suas vítimas, pois que melhor uso ele pode fazer de sua riqueza ou força do que restaurar o que o acaso derrubou? Ele não mostrará ou sentirá repulsa pelo fato de um homem ter pernas mirradas, ou pele flácida e enrugada, ou apoiar seu corpo envelhecido em uma bengala; mas ele fará o bem àqueles que o merecem e, como um deus, olhará benignamente para todos que estão em dificuldades.

A compaixão se aproxima da miséria: ela é parcialmente composta por ela e parcialmente derivada dela. Você sabe que os olhos devem ser fracos se enchem de lágrimas ao ver a visão da cegueira alheia, assim como não é verdadeira a alegria, mas a histeria que faz as pessoas rirem porque outros riem, e bocejar sempre que outros abrem a boca: a compaixão é um defeito na mente das pessoas que são extraordinariamente afetadas pelo sofrimento, e aquele que exige que um sábio a demonstre não está longe de exigir que ele lamente e gema quando estranhos são enterrados.

VII

Mas por que ele não deveria perdoar?[48] Vamos decidir por uma definição exata essa outra questão escorregadia, a verdadeira natureza do perdão, e então perceberemos que o sábio não deve concedê-lo. Perdão é o ato de remover uma punição merecida. As razões pelas quais o sábio não deve conceder essa remissão são apresentadas detalhadamente por aqueles a quem essa pergunta é especialmente feita: vou dizer brevemente, como se não fosse minha preocupação decidir esse ponto:

"Um homem perdoa aquele a quem ele deveria punir: agora, o sábio não faz nada que não deva fazer, e não omite [fazer] nada que deva fazer: portanto, ele não remite qualquer punição que ele deva impor. Mas o sábio lhe concederá de uma maneira mais honrosa o que você deseja obter através do perdão, pois ele fará concessões a você, consultará seus interesses e corrigirá seus maus hábitos: ele agirá como se estivesse perdoando você, mas mesmo assim não irá perdoar, porque aquele que perdoa admite que, ao fazer isso, negligenciou uma parte de seu dever. Ele apenas punirá algumas pessoas repreendendo-as e não imporá nenhuma penalidade adicional se considerar que estão em uma idade que permite a reforma: algumas pessoas que estão indiscutivelmente implicadas em uma acusação odiosa ele absolverá, porque foram enganadas ao cometer o ato, ou não estavam sóbrias quando cometeram a ofensa pela qual estão sendo acusadas: ele deixará seus inimigos partir ilesos, às vezes até com palavras de elogio, se eles pegaram em armas para de-

---

48 Veja acima, capítulo V. (N. do A.)

SOBRE A CLEMÊNCIA

fender sua honra, seus compromissos com outros, sua liberdade ou por qualquer outro motivo honroso.

Todas essas ações se enquadram na categoria de misericórdia, não de perdão. A misericórdia está livre para tomar a decisão que desejar: ela toma sua decisão não com base em qualquer estatuto, mas de acordo com a equidade e bondade: ela pode absolver o réu ou impor as indenizações que desejar. Ela não faz nada disso como se estivesse fazendo menos do que a justiça requer, mas como se a decisão mais justa possível fosse aquela que ela adota. Por outro lado, perdoar não é punir um homem que você decidiu que deveria ser punido; perdoar é a remissão de uma punição que deveria ser infligida. A primeira vantagem que a misericórdia tem sobre o perdão é que ela não diz àqueles a quem ela deixa escapar que eles deveriam ter sofrido: ela é mais completa, mais honrosa do que o perdão."

Na minha opinião, isso é apenas uma disputa de palavras, e estamos de acordo sobre a coisa em si. O sábio remitirá muitas penas e salvará muitos que são maus, mas cuja maldade não é incurável. Ele agirá como bons agricultores, que não cultivam apenas árvores retas e altas, mas também aplicam suportes para endireitar aquelas que foram tornadas tortas por várias causas; eles podam algumas, para que a exuberância de seus galhos não impeça seu crescimento vertical, eles cuidam daquelas que foram enfraquecidas por serem plantadas em uma posição inadequada, e dão ar às que estão obscurecidas pela folhagem de outras. O sábio verá os diversos tratamentos adequados a diversas disposições e como o que é torto pode ser endireitado...

SOBRE O ÓCIO

O OITAVO LIVRO DOS DIÁLOGOS

DE L. ANEU SÊNECA ENDEREÇADO A SERENUS

I

(...)

Por que recomendam com tanta unanimidade que tenhamos vícios? Mesmo que não tentemos nada mais que nos faça bem, o recolhimento em si será benéfico para nós: seremos melhores homens quando estivermos sozinhos — e se assim for, que vantagem será nos recolhermos na companhia dos melhores homens e escolhermos algum algum deles de exemplo para guiar nossas vidas! Isso não pode ser feito sem ócio: com o ócio podemos realizar o que uma vez decidimos ser o melhor, quando não há ninguém para interferir e, com a ajuda da multidão, perverter nosso ainda fraco julgamento; apenas com o ócio, a vida, da qual nos distraímos ao buscar os objetivos mais incompatíveis, pode fluir como um único riacho tranquilo.

De fato, o pior de nossos diversos males é que trocamos até mesmo nossos vícios, e assim não temos nem a vantagem de lidar com uma forma conhecida de mal: primeiro nos deleitamos em um e depois em outro, e além disso, somos perturbados pelo fato de que nossas opiniões não apenas estão erradas, mas são formadas levianamente; oscilamos como se estivéssemos em ondas e agarramo-nos a uma coisa após a outra: deixamos ir o que procuramos agora mesmo e nos esforçamos para recuperar o que deixamos ir.

Oscilamos entre o desejo e o remorso, pois dependemos inteiramente das opiniões dos outros, e é isso que muitas pessoas louvam e buscam, não aquilo que merece ser louvado e buscado. E não nos importamos se nosso caminho é bom ou mau em si mesmo, mas o valorizamos pelo número de pegadas nele, entre as quais não há nenhuma de alguém que tenha retornado.

Você vai me dizer: "Sêneca, o que você está fazendo? Abandonaste teu partido? Tenho certeza de que nossos filósofos estoicos dizem que devemos estar em movimento até o fim de nossa vida: nunca deixaremos de trabalhar pelo bem comum, e sim ajudar pessoas particulares e, quando idosos, oferecer assistência até mesmo a nossos inimigos. Somos a escola filosófica que não dá baixa por qualquer número de anos de serviço, e nas palavras do poeta mais eloquente:

"'Usamos capacete quando nossos cachos ficam grisalhos'[49]. Nós somos aqueles que estão tão distantes de se entregarem ao ócio antes da morte, que, se as circunstâncias permitirem, não nos deixaremos ficar ociosos nem mesmo quando estivermos morrendo. Por que você prega os preceitos de Epicuro na própria sede de Zenão? Se está envergonhado do seu partido, por que não vai abertamente para o lado do inimigo em vez de trair o seu próprio lado?"

Vou responder a essa pergunta imediatamente: O que mais você pode desejar além de que eu imite meus líderes? O que então se segue? Vou para onde eles me levam, não para onde eles me enviam.

---

49 Virg. "Aen." ix. 612. Compare Sir Walter Scott, *Lay of the Last Minstrel*, canto iv.:— "E ainda, na idade, rejeitou o repouso, / E sempre manteve o capacete em seu rosto. / Embora os cachos brancos abaixo / Fossem como a neve de Dinlay, imaculadamente alvos," &c. (N. do A.)

II

Agora vou provar a você que não estou abandonando os princípios dos estoicos: pois eles mesmos não os abandonaram: e, ainda assim, eu seria capaz de alegar uma desculpa muito boa mesmo se eu seguisse, não seus preceitos, mas seus exemplos. Vou dividir o que estou prestes a dizer em duas partes: primeiro, que um homem pode desde o início de sua vida se entregar completamente à contemplação da verdade.

Em segundo lugar, que um homem quando já completou seu período de serviço, tem o melhor dos direitos; o de sua saúde abalada; assim, ele pode então aplicar sua mente a outros estudos à maneira das virgens vestais, que atribuem diferentes deveres a diferentes anos: primeiro aprendem como realizar os ritos sagrados e, quando os aprenderem, ensinam aos outros.

III

Vou mostrar que isso também é aprovado pelos estoicos, não porque eu tenha me imposto o mandamento de não fazer nada contrário aos ensinamentos de Zenão e Crisipo, mas porque a própria questão me permite seguir os preceitos desses homens; pois se alguém sempre segue os preceitos de um só homem, deixa de ser um debatedor e se torna um partidário. Quisera Deus que todas as coisas já fossem conhecidas, que a verdade fosse revelada e reconhecida, e que nenhuma de nossas doutrinas exigisse modificação! Mas como realmente acontece, temos que buscar a verdade na companhia daqueles mesmos que a ensinam.

As escolas dos epicuristas e estoicos diferem amplamente em muitos aspectos, e nesse ponto entre os demais, no entanto, ambas nos destinam ao ócio, embora por caminhos diferentes. Epicuro diz: "O sábio não se envolverá na política, exceto por alguma ocasião especial"; Zenão diz: "O sábio se envolverá na política, a menos que seja impedido por alguma circunstância especial."

Um faz da busca pelo ócio o objetivo de sua vida, o outro o busca apenas quando tem motivos para fazê-lo; mas essa palavra "motivos" tem um amplo significado. Se o Estado estiver tão corrupto a ponto de estar além de qualquer ajuda, e se o mal tiver domínio completo sobre ele, o sábio não trabalhará em vão nem desperdiçará sua força em esforços infrutíferos. Se ele estiver carente de influência ou força física, se o Estado se recusar a se submeter à sua orientação,

SOBRE O ÓCIO

e se sua saúde for um obstáculo, então ele não tentará uma jornada para a qual não está apto, assim como não colocaria no mar um navio desgastado ou se alistaria no exército se fosse inválido.

Consequentemente, aquele que ainda não sofreu nem em saúde nem em destino tem o direito, antes de enfrentar qualquer tempestade, de se estabelecer em segurança e, a partir daí, dedicar-se a uma atividade honrosa e a um ócio inviolável, bem como ao serviço daquelas virtudes que podem ser praticadas mesmo por aqueles que levam uma vida tranquila.

O dever de um homem é ser útil aos seus semelhantes; se possível, ser útil a muitos deles; se não for possível, ser útil a alguns; se não for possível, ser útil aos seus vizinhos e, se ainda assim não for possível, a si mesmo: pois quando ele ajuda os outros, promove os interesses gerais da humanidade. Assim como aquele que se torna um homem pior faz mal não apenas a si mesmo, mas a todos aqueles a quem ele poderia ter feito o bem se tivesse se tornado um homem melhor; aquele que merece bem de si mesmo faz o bem aos outros pelo simples fato de estar preparando o que será útil a eles.

IV

Vamos compreender o fato de que existem duas Repúblicas, uma vasta e verdadeiramente "pública", que contém tanto deuses quanto homens, na qual não levamos em conta este ou aquele recanto de terra, mas estendemos as fronteiras do nosso estado até os raios do sol; e outra à qual fomos designados pelo acidente do nascimento. Esta pode ser a dos atenienses ou cartagineses, ou de qualquer outra cidade que não pertença a todos os homens, mas a alguns em particular. Alguns homens servem ambas essas repúblicas, a maior e a menor, ao mesmo tempo; alguns servem apenas a menor, outros apenas a maior.

Podemos servir a grande comunidade mesmo quando estamos ociosos; na verdade, não tenho certeza de que não possamos servi-la melhor quando temos tempo para investigar o que é a virtude e se ela é uma ou muitas; se é a natureza ou a arte que torna os homens bons; se aquilo que contém a terra e o mar e tudo o que neles há é apenas um, ou se Deus colocou neles muitos corpos da mesma espécie; se aquilo do qual todas as coisas são feitas é contínuo e sólido, ou se contém espaços ora vazios ora completos; se Deus olha ociosamente para a sua obra, ou dirige o seu curso; se ele está fora e ao redor do mundo, ou se ele permeia toda a sua superfície; se o mundo é imortal ou está destinado à decadência e pertence à classe de coisas que nascem apenas por um tempo? Que serviço presta aquele que medita sobre essas questões a Deus? Ele impede que essas suas grandes obras não tenham ninguém para testemunhá-las.

V

Temos o hábito de dizer que o bem maior bem é viver de acordo com a natureza: agora, a natureza nos produziu para ambos os propósitos; para contemplação e para ação. Vamos então provar o que dissemos antes: aliás, quem não pensará que isso está provado se refletir quão grande paixão temos por descobrir o desconhecido?

Quão veementemente nossa curiosidade é despertada por todo tipo de conto romântico. Alguns homens fazem longas viagens e passam pela labuta de viajar para terras distantes sem nenhuma recompensa, exceto a de descobrir algo oculto e remoto. Isso é o que atrai as pessoas para os espetáculos públicos e as leva a espreitar tudo o que está fechado, a desvendar tudo o que é secreto, a esclarecer pontos da antiguidade e a ouvir histórias sobre os costumes de nações selvagens.

A natureza nos concedeu uma disposição inquisitiva e, consciente de sua própria habilidade e beleza, nos criou para sermos espectadores de suas vastas obras, porque ela perderia todos os frutos de seu trabalho se exibisse tais obras vastas e nobres, de construção tão complexa, tão brilhantes e belas de tantas maneiras, apenas para a solidão.

Para que você possa ter certeza de que ela deseja ser contemplada, não apenas vista, veja qual lugar ela nos atribuiu: ela nos colocou no meio dela e nos deu uma visão completa ao redor. Ela não apenas colocou o homem ereto sobre seus pés, mas também, com a intenção de facilitar a observação dos céus, ergueu sua cabeça bem alto e a conectou com um pescoço flexível, para que ele pudesse seguir o curso das estrelas do seu nascer ao seu pôr, e mover seu rosto junto com todo o céu. Além disso, ao passar seis constelações pelo céu de dia e seis à noite, ela exibe todas as partes de si mesma de tal maneira que, ao apresentar diante dos olhos do homem, o torna ansioso para ver o resto também.

Pois não temos visto todas as coisas, nem mesmo sua verdadeira extensão, mas nossa visão apenas abre para si o caminho certo para a pesquisa e lança os fundamentos, a partir dos quais nossas especulações podem passar do que é óbvio para o que é menos conhecido e descobrir algo mais antigo do que o próprio mundo, de onde essas estrelas surgiram: indague qual era a condição do universo antes que cada um de seus elementos fosse separado da massa geral; com que princípio suas partes confusas e misturadas foram divididas; quem atribuiu seus lugares às coisas; se foi por sua própria natureza que o pesado afundou e o leve voou, ou se além do estresse e peso dos corpos algum poder superior lhes deu leis; se aquela maior prova de que o espírito do homem é divino é verdadeira, a teoria, a saber, é se algumas partes, como se fossem faíscas das estrelas, caíram sobre a terra e ficaram presas em uma substância estranha.

Nossos pensamentos ultrapassam as muralhas do céu e não se satisfazem apenas em conhecer o que nos é mostrado: "Investigo", dizem, "o que está fora do mundo: se é um abismo sem fundo ou se também está limitado por suas próprias fronteiras; como é a aparência das coisas do lado de fora, se são amorfas e vagas, estendendo-se igualmente em todas as

SOBRE O ÓCIO

direções, ou se também estão arranjadas em um certo tipo de ordem; se estão conectadas com este nosso mundo, ou se estão amplamente separadas dele e giram no espaço vazio; se consistem de átomos distintos, dos quais tudo o que existe e existirá é feito, ou se sua substância é contínua e inteiramente capaz de mudança; se os elementos são naturalmente opostos uns aos outros, ou se não estão em conflito, mas trabalham para o mesmo fim por diferentes meios."

Já que o homem nasceu para tais especulações como essas, considere por quanto tempo ele as recebeu: mesmo supondo que garanta seus direitos sobre todo esse tempo, não permita então que nenhuma parte dele lhe seja arrancada por bondade, ou escorregue por descuido; embora ele vigie todas as suas horas com cuidado avarento, embora ele viva até os confins extremos da existência humana e embora a má sorte não leve nada do que a Natureza lhe concedeu, mesmo assim o homem é demasiado mortal para compreender a imortalidade. Eu vivo de acordo com a Natureza, portanto, me entrego totalmente a ela e a admiro e reverencio. No entanto, a Natureza me destinou a fazer ambas as coisas; a praticar tanto a contemplação quanto a ação: e eu faço as duas, porque mesmo a contemplação não está isenta de ação.

VI

"Mas", você diz, "faz diferença se você adota a vida contemplativa pelo prazer próprio, exigindo dela apenas a contemplação ininterrupta sem nenhum resultado: pois tal vida é doce e tem atrações próprias." A isso eu respondo: faz muita diferença em que espírito você leva a vida de um homem público, se você nunca está em repouso e nunca separa algum tempo durante o qual possa desviar os olhos das coisas terrenas para as celestiais.

De forma alguma é desejável que alguém se esforce apenas para acumular propriedades sem amor à virtude, ou faça apenas trabalho árduo sem cultivar o intelecto, pois essas coisas devem ser combinadas e mescladas juntas; e, da mesma forma, a virtude colocada no ócio sem ação é apenas um bem incompleto e fraco, porque ela nunca exibe o que aprendeu.

Quem pode negar que ela deve testar seu progresso no trabalho real, e não apenas pensar no que deve ser feito, mas também às vezes usar suas mãos, bem como sua mente, e trazer suas concepções para a existência real? Mas se o sábio estiver disposto a agir de tal forma, se forem as coisas a serem feitas, não o homem para fazê-las, que estão faltando, então você não permitirá que ele viva para si mesmo? Qual é o propósito do sábio ao se dedicar ao ócio? Ele sabe que no ócio, assim como na ação, ele realizará algo pelo qual será útil à posteridade.

SOBRE O ÓCIO

Nossa escola, pelo menos, declara que Zenão e Crisipo fizeram coisas maiores do que teriam feito se estivessem no comando de exércitos, ou ocupassem altos cargos, ou promulgassem leis: estas últimas, de fato, eles promulgaram, embora não para um único Estado, mas para toda a raça humana. Como, então, pode ser inadequado para um homem bom desfrutar de um ócio como este, por meio do qual ele dá leis às eras vindouras e se dirige não a poucas pessoas, mas a todos os homens de todas as nações, tanto agora quanto no futuro? Para resumir a questão, pergunto: Cleantes, Crisipo e Zenão viveram de acordo com sua doutrina?

Tenho certeza de que você responderá que eles viveram da maneira assim como ensinaram que os homens deveriam viver: no entanto, nenhum deles governou um Estado. "Eles não tinham", você responde, "a quantidade de propriedade ou posição social que geralmente permite que as pessoas participem dos assuntos públicos." No entanto, mesmo assim eles não levaram uma vida ociosa: encontraram os meios de tornar sua retirada mais útil para a humanidade do que o suor e a correria de um lado para o outro de outros homens: portanto, essas pessoas são consideradas como tendo feito coisas grandes, apesar de não terem feito nada de caráter público.

VII

Além disso, existem três tipos de vida, e é uma questão debatida qual dos três é o melhor: o primeiro é dedicado ao prazer, o segundo à contemplação e o terceiro à ação. Primeiramente, deixemos de lado toda disputa e amargura, que, como já mencionamos, faz com que aqueles cujos caminhos na vida são diferentes se odeiem além de qualquer esperança de reconciliação, e vamos ver se esses três não chegam ao mesmo ponto, embora com nomes diferentes: pois aquele que decide pelo prazer não está sem contemplação, nem aquele que se entrega à contemplação está sem prazer, e tampouco aquele cuja vida é dedicada à ação está sem contemplação.

"Faz", você diz, "toda a diferença do mundo se algo é o principal objetivo da vida de alguém, ou se é apenas um apêndice de algum outro objetivo." Eu admito que a diferença é considerável, no entanto, um não existe separado do outro: um homem não pode viver em contemplação sem ação, nem o outro agir sem contemplação, e até mesmo o terceiro, do qual todos concordamos em ter uma má opinião, não aprova o prazer passivo, mas aquele que ele estabelece para si mesmo por meio da razão; até mesmo essa escola que está em busca do prazer, portanto, também pratica a ação.

SOBRE O ÓCIO

Claro que sim, já que Epicuro ele mesmo diz que às vezes abandonaria o prazer e realmente buscaria a dor, se ele se tornasse suscetível ao prazer, ou se ele pensasse que, ao suportar uma leve dor, poderia evitar uma maior. Com que propósito eu digo isso? Para provar que todos os homens gostam de contemplação. Alguns fazem dela o objeto de suas vidas: para nós, é uma âncora, mas não um porto.

VIII

Além disso, de acordo com a doutrina de Crisipo, um homem pode viver em ócio: não digo que ele deva suportar o ócio, mas que ele deve escolhê-lo. Nossos estoicos dizem que o sábio não participaria do governo de nenhum estado. Que diferença faz por qual caminho o sábio chega ao ócio, seja porque o Estado não o quer, ou porque ele nega o Estado? Se o Estado for indesejável para todos os sábios (e sempre será considerado indesejável por pensadores refinados), pergunto a você, para qual Estado o sábio deveria se dirigir: para o dos atenienses, onde Sócrates é condenado à morte e Aristóteles é exilado para evitar ser condenado à morte? Onde as virtudes são reprimidas pela inveja? Você me dirá que nenhum sábio se juntaria a um Estado assim.

Então o sábio deve ir para a República dos cartagineses, onde a facção nunca cessa de se agitar e a liberdade é inimiga dos melhores homens; onde justiça e bondade não têm valor, e onde os inimigos são tratados com crueldade desumana e os nativos são tratados como inimigos: ele também fugirá desse Estado. Se eu fosse discutir cada um separadamente, não seria capaz de encontrar um que o sábio pudesse suportar, nem que pudesse suportar o sábio.

Agora, se um Estado como aquele que sonhamos não pode ser encontrado na Terra, segue-se que o ócio é necessário para todos, porque a única coisa que poderia ser preferível ao ócio não está em nenhum lugar. Se alguém disser que velejar é a melhor coisa e, em seguida, disser que não

SOBRE O ÓCIO

devemos velejar em um mar onde naufrágios são eventos comuns e onde tempestades repentinas muitas vezes surgem, fazendo o piloto retornar de seu curso, eu imaginaria que esse homem, enquanto fala em louvor à velejar, na verdade está me proibindo de soltar as amarras do meu navio...

**CONFIRA NOSSOS
LANÇAMENTOS AQUI!**

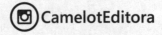